# LE DIABLE AU CORPS

# RAYMOND RADIGUET

# *Le diable au corps*

GRASSET

Je vais encourir bien des reproches. Mais qu'y puis-je? Est-ce ma faute si j'eus douze ans quelques mois avant la déclaration de la guerre? Sans doute, les troubles qui me vinrent de cette période extraordinaire furent d'une sorte qu'on n'éprouve jamais à cet âge; mais comme il n'existe rien d'assez fort pour nous vieillir malgré les apparences, c'est en enfant que je devais me conduire dans une aventure où déjà un homme eût éprouvé de l'embarras. Je ne suis pas le seul. Et mes camarades garderont de cette époque un souvenir qui n'est pas celui de leurs aînés. Que ceux déjà qui m'en veulent se représentent ce que fut la guerre pour tant de

très jeunes garçons : quatre ans de grandes
vacances.

Nous habitions à F..., au bord de la Marne.
Mes parents condamnaient plutôt la cama-
raderie mixte. La sensualité, qui naît avec nous
et se manifeste encore aveugle, y gagna au lieu
d'y perdre.

Je n'ai jamais été un rêveur. Ce qui semble
rêve aux autres, plus crédules, me paraissait
à moi aussi réel que le fromage au chat, malgré
la cloche de verre. Pourtant la cloche existe.

La cloche se cassant, le chat en profite, même
si ce sont ses maîtres qui la cassent et s'y coupent
les mains.

Jusqu'à douze ans, je ne me vois aucune
amourette, sauf pour une petite fille, nommée
Carmen, à qui je fis tenir, par un gamin plus
jeune que moi, une lettre dans laquelle je lui
exprimais mon amour. Je m'autorisais de cet
amour pour solliciter un rendez-vous. Ma lettre
lui avait été remise le matin avant qu'elle se rendît
en classe. J'avais distingué la seule fillette qui me
ressemblât, parce qu'elle était propre, et allait
à l'école accompagnée d'une petite sœur, comme

moi de mon petit frère. Afin que ces deux témoins
se tussent, j'imaginai de les marier, en quelque
sorte. A ma lettre, j'en joignis donc une de la part
de mon frère, qui ne savait pas écrire, pour
Mlle Fauvette. J'expliquai à mon frère mon
entremise, et notre chance de tomber juste sur
deux sœurs de nos âges et douées de noms de
baptême aussi exceptionnels. J'eus la tristesse
de voir que je ne m'étais pas mépris sur le bon
genre de Carmen, lorsque après avoir déjeuné,
avec mes parents qui me gâtaient et ne me gron-
daient jamais, je rentrai en classe.

A peine mes camarades à leurs pupitres —
moi en haut de la classe, accroupi pour prendre
dans un placard, en ma qualité de premier, les
volumes de la lecture à haute voix —, le directeur
entra. Les élèves se levèrent. Il tenait une lettre
à la main. Mes jambes fléchirent, les volumes
tombèrent, et je les ramassai, tandis que le directeur s'entretenait avec le maître. Déjà, les élèves
des premiers bancs se tournaient vers moi, écarlate, au fond de la classe, car ils entendaient chuchoter mon nom. Enfin le directeur m'appela,
et pour me punir finement, tout en n'éveillant,
croyait-il, aucune mauvaise idée chez les élèves,
me félicita d'avoir écrit une lettre de douze lignes

sans aucune faute. Il me demanda si je l'avais bien
écrite seul, puis il me pria de le suivre dans son
bureau. Nous n'y allâmes point. Il me morigéna
dans la cour, sous l'averse. Ce qui troubla fort
mes notions de morale, fut qu'il considérait comme
aussi grave d'avoir compromis la jeune fille (dont
les parents lui avaient communiqué ma déclaration), que d'avoir dérobé une feuille de papier
à lettres. Il me menaça d'envoyer cette feuille
chez moi. Je le suppliai de n'en rien faire. Il céda,
mais me dit qu'il conservait la lettre, et qu'à la
première récidive il ne pourrait plus cacher ma
mauvaise conduite.

Ce mélange d'effronterie et de timidité dérou-
tait les miens et les trompait, comme, à l'école,
ma facilité, véritable paresse, me faisait prendre
pour un bon élève.

Je rentrai en classe. Le professeur, ironique,
m'appela Don Juan. J'en fus extrêmement flatté,
surtout de ce qu'il me citât le nom d'une œuvre
que je connaissais et que ne connaissaient pas mes
camarades. Son "Bonjour, Don Juan" et mon
sourire entendu transformèrent la classe à mon
égard. Peut-être avait-elle déjà su que j'avais
chargé un enfant des petites classes de porter une
lettre à une "fille", comme disent les écoliers

dans leur dur langage. Cet enfant s'appelait
Messager; je ne l'avais pas élu d'après son nom,
mais, quand même, ce nom m'avait inspiré
confiance.

A une heure, j'avais supplié le directeur de ne
rien dire à mon père; à quatre, je brûlais de lui
raconter tout. Rien ne m'y obligeait. Je mettrais
cet aveu sur le compte de la franchise. Sachant
que mon père ne se fâcherait pas, j'étais, somme
toute, ravi qu'il connût ma prouesse.

J'avouai donc, ajoutant avec orgueil que le
directeur m'avait promis une discrétion absolue
(comme à une grande personne). Mon père
voulait savoir si je n'avais pas forgé de toutes
pièces ce roman d'amour. Il vint chez le directeur.
Au cours de cette visite, il parla incidemment
de ce qu'il croyait être une farce. — Quoi? dit
alors le directeur surpris et très ennuyé; il vous a
raconté cela? Il m'avait supplié de me taire, disant
que vous le tueriez.

Ce mensonge du directeur l'excusait; il contri-
bua encore à mon ivresse d'homme. J'y gagnai
séance tenante l'estime de mes camarades et des
clignements d'yeux du maître. Le directeur cachait
sa rancune. Le malheureux ignorait ce que je
savais déjà : mon père, choqué par sa conduite,

avait décidé de me laisser finir mon année scolaire,
et de me reprendre. Nous étions alors au commencement de juin. Ma mère ne voulant pas que cela
influât sur mes prix, mes couronnes, se réservait
de dire la chose, après la distribution. Ce jour venu,
grâce à une injustice du directeur qui craignait
confusément les suites de son mensonge, seul de la
classe, je reçus la couronne d'or que méritait aussi
le prix d'excellence. Mauvais calcul : l'école y
perdit ses deux meilleurs élèves, car le père du
prix d'excellence retira son fils.

Des élèves comme nous servaient d'appeaux
pour en attirer d'autres.

Ma mère me jugeait trop jeune pour aller à
Henri-IV. Dans son esprit, cela voulait dire :
pour prendre le train. Je restai deux ans à la maison
et travaillai seul.

Je me promettais des joies sans borne, car,
réussissant à faire en quatre heures le travail que
ne fournissaient pas en deux jours mes anciens
condisciples, j'étais libre plus de la moitié du jour.
Je me promenais seul au bord de la Marne qui
était tellement notre rivière que mes sœurs disaient,
en parlant de la Seine, "une Marne". J'allais
même dans le bateau de mon père, malgré sa

défense; mais je ne ramais pas, et sans m'avouer que ma peur n'était pas celle de lui désobéir, mais la peur tout court. Je lisais, couché dans ce bateau. En 1913 et 1914, deux cents livres y passent. Point ce que l'on nomme de mauvais livres, mais plutôt les meilleurs, sinon pour l'esprit, du moins pour le mérite. Aussi, bien plus tard, à l'âge où l'adolescence méprise les livres de la Bibliothèque rose, je pris goût à leur charme enfantin, alors qu'à cette époque je ne les aurais voulu lire pour rien au monde.

Le désavantage de ces récréations alternant avec le travail était de transformer pour moi toute l'année en fausses vacances. Ainsi, mon travail de chaque jour était-il peu de chose, mais, comme, travaillant moins de temps que les autres, je travaillais en plus pendant leurs vacances, ce peu de chose était le bouchon de liège qu'un chat garde toute sa vie au bout de la queue, alors qu'il préférerait sans doute un mois de casserole.

Les vraies vacances approchaient, et je m'en occupais fort peu puisque c'était pour moi le même régime. Le chat regardait toujours le fromage sous la cloche. Mais vint la guerre.

Elle brisa la cloche. Les maîtres eurent d'autres chats à fouetter et le chat se réjouit.

A vrai dire, chacun se réjouissait en France. Les enfants, leurs livres de prix sous le bras, se pressaient devant les affiches. Les mauvais élèves profitaient du désarroi des familles.

Nous allions chaque jour, après dîner, à la gare de J..., à deux kilomètres de chez nous, voir passer les trains militaires. Nous emportions des campanules et nous les lancions aux soldats. Des dames en blouse versaient du vin rouge dans les bidons et en répandaient des litres sur le quai jonché de fleurs. Tout cet ensemble me laisse un souvenir de feu d'artifice. Et jamais tant de vin gaspillé, de fleurs mortes. Il fallut pavoiser les fenêtres de notre maison.

Bientôt, nous n'allâmes plus à J... Mes frères et mes sœurs commençaient d'en vouloir à la guerre, ils la trouvaient longue. Elle leur supprimait le bord de la mer. Habitués à se lever tard, il leur fallait acheter les journaux à six heures. Pauvre distraction! Mais vers le vingt août, ces jeunes monstres reprennent espoir. Au lieu de quitter la table où les grandes personnes s'attardent, ils y restent pour entendre mon père parler de départ. Sans doute n'y aurait-il plus de moyens

de transport. Il faudrait voyager très loin à bicyclette. Mes frères plaisantent ma petite sœur. Les
roues de sa bicyclette ont à peine quarante centi-
mètres de diamètre : " On te laissera seule sur la
route. " Ma sœur sanglote. Mais quel entrain
pour astiquer les machines! Plus de paresse. Ils
proposent de réparer la mienne. Ils se lèvent
dès l'aube pour connaître les nouvelles. Tandis
que chacun s'étonne, je découvre enfin les mobiles
de ce patriotisme : un voyage à bicyclette! jusqu'à
la mer! et une mer plus loin, plus jolie que d'habitude. Ils eussent brûlé Paris pour partir plus vite.
Ce qui terrifiait l'Europe était devenu leur unique
espoir.

L'égoïsme des enfants est-il si différent du
nôtre? L'été, à la campagne, nous maudissons
la pluie qui tombe, et les cultivateurs la réclament.

Il est rare qu'un cataclysme se produise sans phénomènes avant-coureurs. L'attentat autrichien, l'orage du procès Caillaux répandaient une atmosphère irrespirable, propice à l'extravagance. Aussi mon vrai souvenir de guerre précède la guerre.

Voici comment :

Nous nous moquions, mes frères et moi, d'un de nos voisins, bonhomme grotesque, nain à barbiche blanche et à capuchon, conseiller municipal, nommé Maréchaud. Tout le monde l'appelait le père Maréchaud. Bien que porte à porte, nous nous défendions de le saluer, ce dont il enrageait si fort, qu'un jour, n'y tenant plus, il nous aborda sur la route et nous dit : " Eh bien !

on ne salue pas un conseiller municipal? " Nous
nous sauvâmes. A partir de cette impertinence,
les hostilités furent déclarées. Mais que pouvait
contre nous un conseiller municipal? En revenant
de l'école, et en y allant, mes frères tiraient sa
sonnette, avec d'autant plus d'audace que le
chien, qui pouvait avoir mon âge, n'était pas
à craindre.

La veille du 14 juillet 1914, en allant à la
rencontre de mes frères, quelle ne fut pas ma
surprise de voir un attroupement devant la grille
des Maréchaud. Quelques tilleuls élagués ca-
chaient mal leur villa au fond du jardin. Depuis
deux heures de l'après-midi, leur jeune bonne
étant devenue folle se réfugiait sur le toit et refusait de descendre. Déjà les Maréchaud, épouvantés
par le scandale, avaient clos leurs volets, si bien
que le tragique de cette folle sur un toit s'augmen-
tait de ce que la maison parût abandonnée. Des
gens criaient, s'indignaient que ses maîtres ne
fissent rien pour sauver cette malheureuse. Elle
titubait sur les tuiles, sans, d'ailleurs, avoir l'air
d'une ivrogne. J'eusse voulu pouvoir rester là
toujours, mais notre bonne, envoyée par ma
mère, vint nous rappeler au travail. Sans cela, je
serais privé de fête. Je partis la mort dans l'âme,

et priant Dieu que la bonne fût encore sur le toit,
lorsque j'irais chercher mon père à la gare.

Elle était à son poste, mais les rares passants
revenaient de Paris, se dépêchaient pour rentrer
dîner, et ne pas manquer le bal. Ils ne lui accor-
daient qu'une minute distraite.

Du reste, jusqu'ici, pour la bonne, il ne s'agissait encore que de répétition plus ou moins
publique. Elle devait débuter le soir, selon l'usage,
les girandoles lumineuses lui formant une véritable rampe. Il y avait à la fois celles de l'avenue
et celles du jardin, car les Maréchaud, malgré leur
absence feinte, n'avaient osé se dispenser d'illu-
miner, comme notables. Au fantastique de cette
maison du crime, sur le toit de laquelle se pro-
menait, comme sur un pont de navire pavoisé,
une femme aux cheveux flottants, contribuait
beaucoup la voix de cette femme : inhumaine,
gutturale, d'une douceur qui donnait la chair de
poule.

Les pompiers d'une petite commune étant des
" volontaires ", ils s'occupent tout le jour d'autre
chose que de pompes. C'est le laitier, le pâtissier,
le serrurier, qui, leur travail fini, viendront éteindre
l'incendie, s'il ne s'est pas éteint de lui-même. Dès
la mobilisation, nos pompiers formèrent en

outre une sorte de milice mystérieuse faisant des
patrouilles, des manœuvres et des rondes de
nuit. Ces braves arrivèrent enfin et fendirent la
foule.

Une femme s'avança. C'était l'épouse d'un
conseiller municipal, adversaire de Maréchaud,
et qui, depuis quelques minutes, s'apitoyait
bruyamment sur la folle. Elle fit des recommanda-
tions au capitaine : " Essayez de la prendre
par la douceur; elle en est tellement privée, la
pauvre petite, dans cette maison où on la bat.
Surtout, si c'est la crainte d'être renvoyée, de se
trouver sans place, qui la fait agir, dites-lui que je
la prendrai chez moi. Je lui doublerai ses gages. "

Cette charité bruyante produisit un effet médiocre sur la foule. La dame l'ennuyait. On ne
pensait qu'à la capture. Les pompiers, au nombre
de six, escaladèrent la grille, cernèrent la maison,
grimpant de tous les côtés. Mais à peine l'un
d'eux apparut-il sur le toit, que la foule, comme les
enfants à Guignol, se mit à vociférer, à prévenir
la victime.

— Taisez-vous donc! criait la dame, ce qui
excitait les " En voilà un! En voilà un! " du
public. A ces cris, la folle, s'armant de tuiles,
en envoya une sur le casque du pompier par-

venu au faîte. Les cinq autres redescendirent
aussitôt.

Tandis que les tirs, les manèges, les baraques,
place de la Mairie, se lamentaient de voir si peu
de clientèle, une nuit où la recette devait être
fructueuse, les plus hardis voyous escaladaient
les murs et se pressaient sur la pelouse pour
suivre la chasse. La folle disait des choses que j'ai
oubliées, avec cette profonde mélancolie résignée
que donne aux voix la certitude qu'on a raison,
que tout le monde se trompe. Les voyous, qui
préféraient ce spectacle à la foire, voulaient cependant combiner les plaisirs. Aussi, tremblants que
la folle fût prise en leur absence, couraient-ils
faire vite un tour de chevaux de bois. D'autres,
plus sages, installés sur les branches des tilleuls,
comme pour la revue de Vincennes, se contentaient d'allumer des feux de Bengale, des
pétards.

On imagine l'angoisse du couple Maréchaud,
chez soi, enfermé au milieu de ce bruit et de ces
lueurs.

Le conseiller municipal, époux de la dame
charitable, grimpé sur le petit mur de la grille,
improvisait un discours sur la couardise des
propriétaires. On l'applaudit.

Croyant que c'était elle qu'on applaudissait, la folle saluait, un paquet de tuiles sous chaque bras, car elle en jetait une chaque fois que miroitait un casque. De sa voix inhumaine, elle remerciait qu'on l'eût enfin comprise. Je pensai à quelque fille, capitaine corsaire, restant seule sur son bateau qui sombre.

La foule se dispersait, un peu lasse. J'avais voulu rester avec mon père, tandis que ma mère, pour assouvir ce besoin de mal au cœur qu'ont les enfants, conduisait les siens de manège en montagnes russes. Certes, j'éprouvais cet étrange besoin plus vivement que mes frères. J'aimais que mon cœur batte vite et irrégulièrement. Ce spectacle, d'une poésie profonde, me satisfaisait davantage. " Comme tu es pâle ", avait dit ma mère. Je trouvai le prétexte des feux de Bengale. Ils me donnaient, dis-je, une couleur verte.

— Je crains tout de même que cela l'impressionne trop, dit-elle à mon père.

— Oh, répondit-il, personne n'est plus insensible. Il peut regarder n'importe quoi, sauf un lapin qu'on écorche.

Mon père disait cela pour que je restasse. Mais il savait que ce spectacle me bouleversait. Je

sentais qu'il le bouleversait aussi. Je lui demandai
de me prendre sur ses épaules pour mieux voir.
En réalité, j'allais m'évanouir, mes jambes ne me
portaient plus.

Maintenant on ne comptait qu'une vingtaine
de personnes. Nous entendîmes les clairons.
C'était la retraite aux flambeaux.

Cent torches éclairaient soudain la folle, comme,
après la lumière douce des rampes, le magnésium
éclate pour photographier une nouvelle étoile.
Alors, agitant ses mains en signe d'adieu, et
croyant à la fin du monde, ou simplement qu'on
allait la prendre, elle se jeta du toit, brisa la marquise dans sa chute, avec un fracas épouvantable,
pour venir s'aplatir sur les marches de pierre.
Jusqu'ici j'avais essayé de supporter tout, bien
que mes oreilles tintassent et que le cœur me
manquât. Mais quand j'entendis des gens crier :
" Elle vit encore ", je tombai, sans connaissance,
des épaules de mon père.

Revenu à moi, il m'entraîna au bord de la
Marne. Nous y restâmes très tard, en silence,
allongés dans l'herbe.

Au retour, je crus voir derrière la grille une
silhouette blanche, le fantôme de la bonne !
C'était le père Maréchaud en bonnet de coton,

contemplant les dégâts, sa marquise, ses tuiles, ses pelouses, ses massifs, ses marches couvertes de sang, son prestige détruit.

Si j'insiste sur un tel épisode, c'est qu'il fait comprendre mieux que tout autre l'étrange période de la guerre, et combien, plus que le pittoresque, me frappait la poésie des choses.

Je vais encourir bien des reproches. Mais qu'y puis-je? Est-ce ma faute si j'eus douze ans quelques mois avant la déclaration de la guerre? Sans doute, les troubles qui me vinrent de cette période extraordinaire furent d'une sorte qu'on n'éprouve jamais à cet âge; mais comme il n'existe rien d'assez fort pour nous vieillir malgré les apparences, c'est en enfant que je devais me conduire dans une aventure où déjà un homme eût éprouvé de l'embarras. Je ne suis pas le seul. Et mes camarades garderont de cette époque un souvenir qui n'est pas celui de leurs aînés. Que ceux déjà qui m'en veulent se représentent ce que fut la guerre pour tant de

Nous entendîmes le canon. On se battait près de Meaux. On racontait que des uhlans avaient été capturés près de Lagny, à quinze kilomètres de chez nous. Tandis que ma tante parlait d'une amie, enfuie dès les premiers jours, après avoir enterré dans son jardin des pendules, des boîtes de sardines, je demandai à mon père le moyen d'emporter nos vieux livres; c'est ce qu'il me coûtait le plus de perdre.

Enfin, au moment où nous nous apprêtions à la fuite, les journaux nous apprirent que c'était inutile.

Mes sœurs, maintenant, allaient à J... porter des paniers de poires aux blessés. Elles avaient

découvert un dédommagement, médiocre il est
vrai, à tous leurs beaux projets écroulés. Quand
elles arrivaient à J..., les paniers étaient presque
vides!

Je devais entrer au lycée Henri-IV; mais
mon père préféra me garder encore un an à
la campagne. Ma seule distraction de ce morne
hiver fut de courir chez notre marchande de
journaux, pour être sûr d'avoir un exemplaire
du *Mot*, journal qui me plaisait et paraissait le
samedi. Ce jour-là, je n'étais jamais levé tard.
Mais le printemps arriva, qu'égayèrent mes
premières incartades. Sous prétexte de quêtes,
ce printemps, plusieurs fois, je me promenai,
endimanché, une jeune personne à ma droite.
Je tenais le tronc; elle, la corbeille d'insignes. Dès
la seconde quête, des confrères m'apprirent à
profiter de ces journées libres où l'on me jetait
dans les bras d'une petite fille. Dès lors, nous
nous empressions de recueillir, le matin, le plus
d'argent possible, remettions à midi notre récolte
à la dame patronnesse et allions toute la journée
polissonner sur les coteaux de Chennevières.
Pour la première fois, j'eus un ami. J'aimais
à quêter avec sa sœur. Pour la première fois, je

m'entendais avec un garçon aussi précoce que
moi, admirant même sa beauté, son effronterie.
Notre mépris commun pour ceux de notre âge
nous rapprochait encore. Nous seuls, nous jugions
capables de comprendre les choses; et, enfin, nous
seuls, nous trouvions dignes des femmes. Nous
nous croyions des hommes. Par chance, nous
n'allions pas être séparés. René allait déjà au lycée
Henri-IV, et je serais dans sa classe, en troisième.
Il ne devait pas apprendre le grec; il me fit cet
extrême sacrifice de convaincre ses parents de le
lui laisser apprendre. Ainsi, nous serions toujours
ensemble. Comme il n'avait pas fait sa première
année, c'était s'obliger à des répétitions parti-
culières. Les parents de René n'y comprirent
rien, qui, l'année précédente, devant ses suppli-
cations, avaient consenti à ce qu'il n'étudiât pas le
grec. Ils y virent l'effet de ma bonne influence,
et, s'ils supportaient ses autres camarades, j'étais,
du moins, le seul ami qu'ils approuvassent.

Pour la première fois, nul jour des vacances
de cette année ne me fut pesant. Je connus donc
que personne n'échappe à son âge, et que mon
dangereux mépris s'était fondu comme glace dès
que quelqu'un avait bien voulu prendre garde à
moi, de la façon qui me convenait. Nos communes

avances raccourcirent de moitié la route que l'orgueil de chacun de nous avait à faire.

Le jour de la rentrée des classes, René me fut un guide précieux.

Avec lui tout me devenait plaisir, et moi qui, seul, ne pouvais avancer d'un pas, j'aimais faire à pied, deux fois par jour, le trajet qui sépare Henri-IV de la gare de la Bastille, où nous prenions notre train.

Trois ans passèrent ainsi, sans autre amitié et sans autre espoir que les polissonneries du jeudi — avec les petites filles que les parents de mon ami nous fournissaient innocemment, invitant ensemble à goûter les amis de leur fils et les amies de leur fille —, menues faveurs que nous dérobions, et qu'elles nous dérobaient, sous prétexte de jeux à gages.

La belle saison venue, mon père aimait à nous emmener, mes frères et moi, dans de longues promenades. Un de nos buts favoris était Ormesson, et de suivre le Morbras, rivière large d'un mètre, traversant des prairies où poussent des fleurs qu'on ne rencontre nulle part ailleurs, et dont j'ai oublié le nom. Des touffes de cresson ou de menthe cachent au pied qui se hasarde l'endroit où commence l'eau. La rivière charrie au printemps des milliers de pétales blancs et roses. Ce sont les aubépines.

Un dimanche d'avril 1917, comme cela nous arrivait souvent, nous prîmes le train pour La Varenne, d'où nous devions nous rendre à pied

à Ormesson. Mon père me dit que nous retrouve-
rions à La Varenne des gens agréables, les Grangier. Je les connaissais pour avoir vu le nom de
leur fille, Marthe, dans le catalogue d'une exposition de peinture. Un jour, j'avais entendu mes
parents parler de la visite d'un M. Grangier. Il
était venu, avec un carton empli des œuvres de sa
fille, âgée de dix-huit ans. Marthe était malade.
Son père aurait voulu lui faire une surprise :
que ses aquarelles figurassent dans une exposition
de charité dont ma mère était présidente. Ces
aquarelles étaient sans nulle recherche; on y
sentait la bonne élève du cours de dessin, tirant
la langue, léchant les pinceaux.

Sur le quai de la gare de La Varenne, les
Grangier nous attendaient. M. et Mme Grangier devaient être du même âge, approchant de
la cinquantaine. Mais Mme Grangier paraissait
l'aînée de son mari; son inélégance, sa taille
courte, firent qu'elle me déplut au premier coup
d'œil.

Au cours de cette promenade, je devais re-
marquer qu'elle fronçait souvent les sourcils,
ce qui couvrait son front de rides auxquelles il
fallait une minute pour disparaître. Afin qu'elle
eût tous les motifs de me déplaire, sans que je me

reprochasse d'être injuste, je souhaitais qu'elle employât des façons de parler assez communes. Sur ce point, elle me déçut.

Le père, lui, avait l'air d'un brave homme, ancien sous-officier, adoré de ses soldats. Mais où était Marthe? Je tremblais à la perspective d'une promenade sans autre compagnie que celle de ses parents. Elle devait venir par le prochain train, "dans un quart d'heure, expliqua Mme Grangier, n'ayant pu être prête à temps. Son frère arriverait avec elle ".

Quand le train entra en gare, Marthe était debout sur le marchepied du wagon. " Attends bien que le train s'arrête ", lui cria sa mère... Cette imprudente me charma.

Sa robe, son chapeau, très simples, prouvaient son peu d'estime pour l'opinion des inconnus. Elle donnait la main à un petit garçon qui paraissait avoir onze ans. C'était son frère, enfant pâle, aux cheveux d'albinos, et dont tous les gestes trahissaient la maladie.

Sur la route, Marthe et moi marchions en tête. Mon père marchait derrière, entre les Grangier.

Mes frères, eux, bâillaient, avec ce nouveau petit camarade chétif, à qui l'on défendait de courir.

Comme je complimentais Marthe sur ses aquarelles, elle me répondit modestement que c'étaient des études. Elle n'y attachait aucune importance. Elle me montrerait mieux, des fleurs " stylisées ". Je jugeai bon, pour la première fois, de ne pas lui dire que je trouvais ces sortes de fleurs ridicules.

Sous son chapeau elle ne pouvait bien me voir. Moi, je l'observais.

— Vous ressemblez peu à madame votre mère, lui dis-je.

C'était un madrigal.

— On me le dit quelquefois; mais, quand vous viendrez à la maison, je vous montrerai des photographies de maman lorsqu'elle était jeune, je lui ressemble beaucoup.

Je fus attristé de cette réponse, et je priai Dieu de ne point voir Marthe quand elle aurait l'âge de sa mère.

Voulant dissiper le malaise de cette réponse pénible, et ne comprenant pas que, pénible, elle ne pouvait l'être que pour moi, puisque heureusement Marthe ne voyait point sa mère avec mes yeux, je lui dis :

— Vous avez tort de vous coiffer de la sorte, les cheveux lisses vous iraient mieux.

Je restai terrifié, n'ayant jamais dit pareille
chose à une femme. Je pensais à la façon dont
j'étais coiffé, moi.

— Vous pourrez le demander à maman (comme
si elle avait besoin de se justifier!); d'habitude,
je ne me coiffe pas si mal, mais j'étais déjà en
retard et je craignais de manquer le second train.
D'ailleurs, je n'avais pas l'intention d'ôter mon
chapeau.

" Quelle fille était-ce donc, pensais-je, pour
admettre qu'un gamin la querelle à propos de
ses mèches? "

J'essayais de deviner ses goûts en littérature;
je fus heureux qu'elle connût Baudelaire et
Verlaine, charmé de la façon dont elle aimait
Baudelaire, qui n'était pourtant pas la mienne.
J'y discernais une révolte. Ses parents avaient
fini par admettre ses goûts. Marthe leur en voulait
que ce fût par tendresse. Son fiancé, dans ses
lettres, lui parlait de ce qu'il lisait, et s'il lui conseillait certains livres, il lui en défendait d'autres. Il
lui avait défendu *Les Fleurs du Mal*. Désagréable-
ment surpris d'apprendre qu'elle était fiancée,
je me réjouis de savoir qu'elle désobéissait à un
soldat assez nigaud pour craindre Baudelaire.
Je fus heureux de sentir qu'il devait souvent

choquer Marthe. Après la première surprise désagréable, je me félicitai de son étroitesse, d'autant mieux que j'eusse craint, s'il avait lui aussi goûté *Les Fleurs du Mal*, que leur futur appartement ressemblât à celui de *La Mort des Amants*. Je me demandai ensuite ce que cela pouvait bien me faire.

Son fiancé lui avait aussi défendu les académies de dessin. Moi qui n'y allais jamais, je lui proposai de l'y conduire, ajoutant que j'y travaillais souvent. Mais, craignant ensuite que mon mensonge fût découvert, je la priai de n'en point parler à mon père. Il ignorait, dis-je, que je manquais des cours de gymnastique pour me rendre à la Grande-Chaumière. Car je ne voulais pas quelle pût se figurer que je cachais l'académie à mes parents, parce qu'ils me défendaient de voir des femmes nues. J'étais heureux qu'il se fît un secret entre nous, et moi, timide, me sentais déjà tyrannique avec elle.

J'étais fier aussi d'être préféré à la campagne, car nous n'avions pas encore fait allusion au décor de notre promenade. Quelquefois ses parents l'appelaient : " Regarde, Marthe, à ta droite, comme les coteaux de Chennevières sont jolis ", ou bien, son frère s'approchait d'elle et lui

demandait le nom d'une fleur qu'il venait de
cueillir. Elle leur accordait d'attention distraite
juste assez pour qu'ils ne se fâchassent point.

Nous nous assîmes dans les prairies d'Ormesson. Dans ma candeur, je regrettais d'avoir été
si loin, et d'avoir tellement précipité les choses.
" Après une conversation moins sentimentale,
plus naturelle, pensai-je, je pourrais éblouir
Marthe, et m'attirer la bienveillance de ses parents,
en racontant le passé de ce village. " Je m'en
abstins. Je croyais avoir des raisons profondes,
et pensais qu'après tout ce qui s'était passé, une
conversation tellement en dehors de nos inquiétudes communes ne pourrait que rompre le
charme. Je croyais qu'il s'était passé des choses
graves. C'était d'ailleurs vrai, simplement, je le sus
dans la suite, parce que Marthe avait faussé notre
conversation dans le même sens que moi. Mais
moi qui ne pouvais m'en rendre compte, je me
figurais lui avoir adressé des paroles significatives.
Je croyais avoir déclaré mon amour à une personne insensible. J'oubliais que M. et Mme Grangier eussent pu entendre sans le moindre incon-
vénient tout ce que j'avais dit à leur fille; mais,
moi, aurais-je pu le lui dire en leur présence?

— Marthe ne m'intimide pas, me répétais-je.

Donc, seuls, ses parents et mon père m'empêchent de me pencher sur son cou et de l'embrasser.

Profondément en moi, un autre garçon se félicitait de ces trouble-fête. Celui-ci pensait :

— Quelle chance que je ne me trouve pas seul avec elle! Car je n'oserais pas davantage l'embrasser, et n'aurais aucune excuse.

Ainsi triche le timide.

Nous reprenions le train à la gare de Sucy. Ayant une bonne demi-heure à l'attendre, nous nous assîmes a la terrasse d'un café. Je dus subir les compliments de Mme Grangier. Ils m'humiliaient. Ils rappelaient à sa fille que je n'étais encore qu'un lycéen, qui passerait son baccalauréat dans un an. Marthe voulut boire de la grenadine; j'en commandai aussi. Le matin encore, je me serais cru déshonoré en buvant de la grenadine. Mon père n'y comprenait rien. Il me laissait toujours servir des apéritifs. Je tremblai qu'il me plaisantât sur ma sagesse. Il le fit, mais à mots couverts, de façon que Marthe ne devinât pas que je buvais de la grenadine pour faire comme elle.

Arrivés à F..., nous dîmes adieu aux Grangier. Je promis à Marthe de lui porter, le jeudi suivant, la collection du journal *Le Mot* et *Une Saison en Enfer*.

— Encore un titre qui plairait à mon fiancé! Elle riait.

— Voyons, Marthe! dit, fronçant les sourcils, sa mère qu'un tel manque de soumission choquait toujours.

Mon père et mes frères s'étaient ennuyés, qu'importe! Le bonheur est égoïste.

Le lendemain, au lycée, je n'éprouvai pas le besoin de raconter à René, à qui je disais tout, ma journée du dimanche. Mais je n'étais pas d'humeur à supporter qu'il me raillât de n'avoir pas embrassé Marthe en cachette. Autre chose m'étonnait; c'est qu'aujourd'hui je trouvais René moins différent de mes camarades.

Ressentant de l'amour pour Marthe, j'en ôtais à René, à mes parents, à mes sœurs.

Je me promettais bien cet effort de volonté de ne pas venir la voir avant le jour de notre rendez-vous. Pourtant, le mardi soir, ne pouvant attendre, je sus trouver à ma faiblesse de bonnes

excuses qui me permissent de porter après dîner
le livre et les journaux. Dans cette impatience,
Marthe verrait la preuve de mon amour, disais-je,
et si elle refuse de la voir, je saurais bien l'y con-
traindre.

Pendant un quart d'heure, je courus comme
un fou jusqu'à sa maison. Alors, craignant de la
déranger pendant son repas, j'attendis, en nage,
dix minutes, devant la grille. Je pensais que
pendant ce temps mes palpitations de cœur s'arrê-
teraient. Elles augmentaient, au contraire. Je
manquai tourner bride, mais depuis quelques
minutes, d'une fenêtre voisine, une femme me
regardait curieusement, voulant savoir ce que je
faisais, réfugié contre cette porte. Elle me décida.
Je sonnai. J'entrai dans la maison. Je demandai
à la domestique si Madame était chez elle. Presque
aussitôt, Mme Grangier parut dans la petite pièce
où l'on m'avait introduit. Je sursautai, comme si
la domestique eût dû comprendre que j'avais
demandé " Madame " par convenance et que je
voulais voir " Mademoiselle ". Rougissant, je
priai Mme Grangier de m'excuser de la déranger
à pareille heure, comme s'il eût été une heure du
matin : ne pouvant venir jeudi, j'apportais le livre
et les journaux à sa fille.

— Cela tombe à merveille, me dit Mme Grangier, car Marthe n'aurait pu vous recevoir. Son fiancé a obtenu une permission, quinze jours plus tôt qu'il ne pensait. Il est arrivé hier, et Marthe dîne ce soir chez ses futurs beaux-parents.

Je m'en allai donc, et puisque je n'avais plus de chance de la revoir jamais, croyais-je, m'efforçais de ne plus penser à Marthe, et, par cela même, ne pensant qu'à elle.

Pourtant, un mois après, un matin, sautant de mon wagon à la gare de la Bastille, je la vis qui descendait d'un autre. Elle allait choisir dans des magasins différentes choses, en vue de son mariage. Je lui demandai de m'accompagner jusqu'à Henri-IV.

— Tiens, dit-elle, l'année prochaine, quand vous serez en seconde, vous aurez mon beau-père pour professeur de géographie.

Vexé qu'elle me parlât études, comme si aucune autre conversation n'eût été de mon âge, je lui répondis aigrement que ce serait assez drôle.

Elle fronça les sourcils. Je pensai à sa mère. Nous arrivions à Henri-IV, et, ne voulant pas la quitter sur ces paroles que je croyais blessantes, je décidai d'entrer en classe une heure plus tard,

après le cours de dessin. Je fus heureux qu'en
cette circonstance Marthe ne montrât pas de
sagesse, ne me fît aucun reproche, et, plutôt,
semblât me remercier d'un tel sacrifice, en réalité
nul. Je lui fus reconnaissant qu'en échange elle
ne me proposât point de l'accompagner dans ses
courses, mais qu'elle me donnât son temps comme
je lui donnais le mien.

Nous étions maintenant dans le jardin du
Luxembourg; neuf heures sonnèrent à l'horloge
du Sénat. Je renonçai au lycée. J'avais dans ma
poche, par miracle, plus d'argent que n'en a
d'habitude un collégien en deux ans, ayant la
veille vendu mes timbres-poste les plus rares à la
Bourse aux timbres, qui se tient derrière le Guignol
des Champs-Élysées.

Au cours de la conversation, Marthe m'ayant
appris qu'elle déjeunait chez ses beaux-parents,
je décidai de la résoudre à rester avec moi. La
demie de neuf heures sonnait. Marthe sursauta,
point encore habituée à ce qu'on abandonnât
pour elle tous ses devoirs de classe. Mais, voyant
que je restais sur ma chaise de fer, elle n'eut pas
le courage de me rappeler que j'aurais dû être
assis sur les bancs de Henri-IV.

Nous restions immobiles. Ainsi doit être le

bonheur. Un chien sauta du bassin et se secoua.
Marthe se leva, comme quelqu'un qui, après la
sieste, et le visage encore enduit de sommeil,
secoue ses rêves. Elle faisait avec ses bras des
mouvements de gymnastique. J'en augurai mal
pour notre entente.

— Ces chaises sont trop dures, me dit-elle,
comme pour s'excuser d'être debout.

Elle portait une robe de foulard, chiffonnée
depuis qu'elle s'était assise. Je ne pus m'empêcher d'imaginer les dessins que le cannage
imprime sur la peau.

— Allons, accompagnez-moi dans les magasins, puisque vous êtes décidé à ne pas aller
en classe, dit Marthe, faisant pour la première
fois allusion à ce que je négligeais pour elle.

Je l'accompagnai dans plusieurs maisons de
lingerie, l'empêchant de commander ce qui lui
plaisait et ne me plaisait pas; par exemple, évitant
le rose, qui m'importune, et qui était sa couleur
favorite.

Après ces premières victoires, il fallait obtenir
de Marthe qu'elle ne déjeunât pas chez ses beaux-
parents. Ne pensant pas qu'elle pouvait leur mentir
pour le simple plaisir de rester en ma compagnie,
je cherchai ce qui la déterminerait à me suivre

dans l'école buissonnière. Elle rêvait de connaître
un bar américain. Elle n'avait jamais osé demander
à son fiancé de l'y conduire. D'ailleurs, il ignorait les bars. Je tenais mon prétexte. A son refus,
empreint d'une véritable déception, je pensai
qu'elle viendrait. Au bout d'une demi-heure,
ayant usé de tout pour la convaincre, et n'insistant
même plus, je l'accompagnai chez ses beaux-
parents, dans l'état d'esprit d'un condamné à
mort espérant jusqu'au dernier moment qu'un
coup de main se fera sur la route du supplice.
Je voyais s'approcher la rue, sans que rien ne se
produisît. Mais soudain, Marthe, frappant à la
vitre, arrêta le chauffeur du taxi devant un bureau
de poste.

Elle me dit :

— Attendez-moi une seconde. Je vais télé-
phoner à ma belle-mère que je suis dans un
quartier trop éloigné pour arriver à temps.

Au bout de quelques minutes, n'en pouvant
plus d'impatience, j'avisai une marchande de
fleurs et je choisis une à une des roses rouges,
dont je fis faire une botte. Je ne pensais pas tant
au plaisir de Marthe qu'à la nécessité pour elle de
mentir encore ce soir pour expliquer à ses parents
d'où venaient les roses. Notre projet, lors de la

première rencontre, d'aller à une académie de
dessin; le mensonge du téléphone qu'elle répé-
terait, ce soir, à ses parents, mensonge auquel
s'ajouterait celui des roses, m'étaient des faveurs
plus douces qu'un baiser. Car, ayant souvent
embrassé, sans grand plaisir, des lèvres de petites
filles, et oubliant que c'était parce que je ne les
aimais pas, je désirais peu les lèvres de Marthe.
Tandis qu'une telle complicité m'était restée,
jusqu'à ce jour, inconnue.

Marthe sortait de la poste, rayonnante, après
le premier mensonge. Je donnai au chauffeur
l'adresse d'un bar de la rue Daunou.

Elle s'extasiait, comme une pensionnaire, sur
la veste blanche du barman, la grâce avec laquelle
il secouait les gobelets d'argent, les noms bizarres
ou poétiques des mélanges. Elle respirait de temps
en temps les roses rouges dont elle se promettait
de faire une aquarelle, qu'elle me donnerait en
souvenir de cette journée. Je lui demandai de me
montrer une photographie de son fiancé. Je le
trouvai beau. Sentant déjà quelle importance elle
attachait à mes opinions, je poussai l'hypocrisie
jusqu'à lui dire qu'il était très beau, mais d'un air
peu convaincu, pour lui donner à penser que je le
lui disais par politesse. Ce qui, selon moi, devait

jeter le trouble dans l'âme de Marthe, et, de plus, m'attirer sa reconnaissance.

Mais, l'après-midi, il fallut songer au motif de son voyage. Son fiancé, dont elle savait les goûts, s'en était remis complètement à elle du soin de choisir leur mobilier. Mais sa mère voulait à toute force la suivre. Marthe, enfin, en lui promettant de ne pas faire de folies, avait obtenu de venir seule. Elle devait, ce jour-là, choisir quelques meubles pour leur chambre à coucher. Bien que je me fusse promis de ne montrer d'extrême plaisir ou déplaisir à aucune des paroles de Marthe, il me fallut faire un effort pour continuer de marcher sur le boulevard d'un pas tranquille qui maintenant ne s'accordait plus avec le rythme de mon cœur.

Cette obligation d'accompagner Marthe m'apparut comme une malchance. Il fallait donc l'aider à choisir une chambre pour elle et un autre! Puis, j'entrevis le moyen de choisir une chambre pour Marthe et pour moi.

J'oubliais si vite son fiancé, qu'au bout d'un quart d'heure de marche, on m'aurait surpris en me rappelant que, dans cette chambre, un autre dormirait auprès d'elle.

Son fiancé goûtait le style Louis XV.

Le mauvais goût de Marthe était autre; elle
aurait plutôt versé dans le japonais. Il me fallut
donc les combattre tous deux. C'était à qui joue-
rait le plus vite. Au moindre mot de Marthe,
devinant ce qui la tentait, il me fallait lui désigner
le contraire, qui ne me plaisait pas toujours, afin
de me donner l'apparence de céder à ses caprices,
quand j'abandonnerais un meuble pour un autre,
qui dérangeait moins son œil.

Elle murmurait : " Lui qui voulait une chambre
rose. " N'osant même plus m'avouer ses propres
goûts, elle les attribuait à son fiancé. Je devinai
que dans quelques jours nous les raillerions
ensemble.

Pourtant je ne comprenais pas bien cette
faiblesse. " Si elle ne m'aime pas, pensai-je, quelle
raison a-t-elle de me céder, de sacrifier ses préfé-
rences, et celles de ce jeune homme, aux miennes ? "
Je n'en trouvai aucune. La plus modeste eût été
encore de me dire que Marthe m'aimait. Pourtant
j'étais sûr du contraire.

Marthe m'avait dit : " Au moins laissons-
lui l'étoffe rose. " — " Laissons-lui ! " Rien
que pour ce mot, je me sentais près de lâcher
prise. Mais " lui laisser l'étoffe rose " équivalait
à tout abandonner. Je représentai à Marthe

combien ces murs roses gâcheraient les meubles
simples que " nous avions choisis ", et, reculant
encore devant le scandale, lui conseillai de faire
peindre les murs de sa chambre à la chaux!

C'était le coup de grâce. Toute la journée,
Marthe avait été tellement harcelée qu'elle le
reçut sans révolte. Elle se contenta de me dire :
·" En effet, vous avez raison. "

A la fin de cette journée éreintante, je me félicitai du pas que j'avais fait. J'étais parvenu à
transformer, meuble à meuble, ce mariage d'amour,
ou plutôt d'amourette, en un mariage de raison,
et lequel! puisque la raison n'y tenait aucune
place, chacun ne trouvant chez l'autre que les
avantages qu'offre un mariage d'amour.

En me quittant, ce soir-là, au lieu d'éviter
désormais mes conseils, elle m'avait prié de
l'aider les jours suivants dans le choix de ses
autres meubles. Je le lui promis, mais à condition
qu'elle me jurât de ne jamais le dire à son fiancé,
puisque la seule raison qui pût à la longue lui
faire admettre ces meubles, s'il avait de l'amour
pour Marthe, c'était de penser que tout sortait
d'elle, de son bon plaisir, qui deviendrait le leur.

Quand je rentrai à la maison, je crus lire dans
le regard de mon père qu'il avait déjà appris

mon escapade. Naturellement il ne savait rien;
comment eût-il pu le savoir?

"Bah! Jacques s'habituera bien à cette chambre", avait dit Marthe. En me couchant, je me
répétai que, si elle songeait à son mariage avant de
dormir, elle devait, ce soir, l'envisager de tout
autre sorte qu'elle ne l'avait fait les jours précé-
dents. Pour moi, quelle que fût l'issue de cette
idylle, j'étais, d'avance, bien vengé de son Jacques :
je pensais à la nuit de noces dans cette chambre
austère, dans " ma " chambre!

Le lendemain matin, je guettai dans la rue le
facteur qui devait apporter une lettre d'absence.
Il me la remit, je l'empochai, jetant les autres dans
la boîte de notre grille. Procédé trop simple pour
ne pas en user toujours.

Manquer la classe voulait dire, selon moi,
que j'étais amoureux de Marthe. Je me trompais. Marthe ne m'était que le prétexte de cette
école buissonnière. Et la preuve, c'est qu'après
avoir goûté en compagnie de Marthe aux charmes
de la liberté, je voulus y goûter seul, puis faire des
adeptes. La liberté me devint vite une drogue.

L'année scolaire touchait à sa fin, et je voyais
avec terreur que ma paresse allait rester impunie,
alors que je souhaitais le renvoi du collège,

un drame, enfin, qui clôturât cette période.

A force de vivre dans les mêmes idées, de ne voir qu'une chose, si on la veut avec ardeur, on ne remarque plus le crime de ses désirs. Certes, je ne cherchais pas à faire de la peine à mon père; pourtant, je souhaitais la chose qui pourrait lui en faire le plus. Les classes m'avaient toujours été un supplice; Marthe et la liberté avaient achevé de me les rendre intolérables. Je me rendais bien compte que, si j'aimais moins René, c'était simplement parce qu'il me rappelait quelque chose du collège. Je souffrais, et cette crainte me rendait même physiquement malade, à l'idée de me retrouver, l'année suivante, dans la niaiserie de mes condisciples.

Pour le malheur de René, je lui avais trop bien fait partager mon vice. Aussi, lorsque, moins habile que moi, il m'annonça qu'il était renvoyé de Henri-IV, je crus l'être moi-même. Il fallait l'apprendre à mon père, car il me saurait gré de le lui dire moi-même, avant la lettre du censeur, lettre trop grave à subtiliser.

Nous étions un mercredi. Le lendemain, jour de congé, j'attendis que mon père fût à Paris pour prévenir ma mère. La perspective de quatre jours de trouble dans son ménage l'alarma plus que la nouvelle. Puis, je partis au bord de la Marne, où Marthe m'avait dit qu'elle me rejoindrait peut-être. Elle n'y était pas. Ce fut une chance. Mon amour puisant dans cette rencontre une mauvaise énergie, j'aurais pu, ensuite, lutter contre mon père; tandis que l'orage éclatant après une journée de vide, de tristesse, je rentrai le front bas, comme il convenait. Je revins chez nous un peu après l'heure où je savais que mon père avait coutume d'y être. Il " savait " donc. Je me promenai dans le jardin, attendant que mon père me fît venir. Mes sœurs jouaient en silence. Elles devinaient quelque chose. Un de mes frères, assez excité par l'orage, me dit de me rendre dans la chambre où mon père s'était étendu.

Des éclats de voix, des menaces, m'eussent permis la révolte. Ce fut pire. Mon père se taisait; ensuite, sans aucune colère, avec une voix même plus douce que de coutume, il me dit :

— Eh bien, que comptes-tu faire maintenant?

Les larmes qui ne pouvaient s'enfuir par mes yeux, comme un essaim d'abeilles, bourdonnaient dans ma tête. A une volonté, j'eusse pu opposer la mienne, même impuissante. Mais devant une telle douceur, je ne pensais qu'à me soumettre.

— Ce que tu m'ordonneras de faire.

— Non, ne mens pas encore. Je t'ai toujours laissé agir comme tu voulais; continue. Sans doute auras-tu à cœur de m'en faire repentir.

Dans l'extrême jeunesse, l'on est trop enclin, comme les femmes, à croire que les larmes dédommagent de tout. Mon père ne me demandait même pas de larmes. Devant sa générosité, j'avais honte du présent et de l'avenir. Car je sentais que quoi que je lui dise, je mentirais. " Au moins que ce mensonge le réconforte, pensai-je, en attendant de lui être une source de nouvelles peines. " Ou plutôt non, je cherche encore à me mentir à moi-même. Ce que je voulais, c'était faire un travail, guère plus fatigant qu'une promenade, et qui laissât comme elle, à mon esprit, la liberté de ne pas se détacher de Marthe une minute. Je feignis de vouloir peindre et de n'avoir jamais osé le dire. Encore une fois, mon père ne dit pas non, à condition que je continuasse d'apprendre chez nous ce que j'aurais dû apprendre au collège, mais avec la liberté de peindre.

Quand des liens ne sont pas encore solides, pour perdre quelqu'un de vue, il suffit de manquer une fois un rendez-vous. A force de penser à Marthe, j'y pensai de moins en moins. Mon esprit agissait, comme nos yeux agissent avec le papier des murs de notre chambre. A force de le voir, ils ne le voient plus.

Chose incroyable! J'avais même pris goût au travail. Je n'avais pas menti comme je le craignais.

Lorsque quelque chose, venu de l'exterieur, m'obligeait à penser moins paresseusement à Marthe, j'y pensais sans amour, avec la mélancolie que l'on éprouve pour ce qui aurait pu être. "Bah! me disais-je, c'eût été trop beau. On ne peut à la fois choisir le lit et coucher dedans."

Une chose étonnait mon père. La lettre du censeur n'arrivait pas. Il me fit à ce sujet sa première scène, croyant que j'avais soustrait la lettre, que j'avais feint ensuite de lui annoncer gratuitement la nouvelle, que j'avais ainsi obtenu son indulgence. En réalité, cette lettre n'existait pas. Je me croyais renvoyé du collège, mais je me trompais. Aussi, mon père ne comprit-il rien lorsque, au début des vacances, nous reçûmes une lettre du proviseur.

Il demandait si j'étais malade et s'il fallait m'inscrire pour l'année suivante.

La joie de donner enfin satisfaction à mon père comblait un peu le vide sentimental dans lequel je me trouvais, car, si je croyais ne plus aimer Marthe, je la considérais du moins comme le seul amour qui eût été digne de moi. C'est dire que je l'aimais encore.

J'étais dans ces dispositions de cœur quand, à la fin de novembre, un mois après avoir reçu une lettre de faire part de son mariage, je trouvai, en rentrant chez nous, une invitation de Marthe qui commençait par ces lignes : " Je ne comprends rien à votre silence. Pourquoi ne venez-vous pas me voir? Sans doute avez-vous oublié que vous avez choisi mes meubles?... "

Marthe habitait J...; sa rue descendait jusqu'à la Marne. Chaque trottoir réunissait au plus une douzaine de villas. Je m'étonnai que la sienne fût si grande. En réalité, Marthe habitait seulement le haut, les propriétaires et un vieux ménage se partageant le bas.

Quand j'arrivai pour goûter, il faisait déjà nuit. Seule une fenêtre, à défaut d'une présence humaine, révélait celle du feu. A voir cette fenêtre illuminée par des flammes inégales, comme des vagues, je crus à un commencement d'incendie. La porte de fer du jardin était entrouverte. Je m'étonnai d'une semblable négligence. Je cherchai la sonnette : je ne la trouvai point. Enfin, gravissant les trois marches du perron, je me décidai à frapper contre les vitres du rez-de-chaussée de droite, derrière lesquelles j'entendais des voix. Une vieille femme ouvrit la porte : je lui demandai où demeurait Mme Lacombe (tel était le nouveau nom de Marthe) : " C'est au-dessus. " Je montai l'escalier dans le noir, trébuchant, me cognant, et mourant de crainte qu'il fût arrivé quelque malheur. Je frappai. C'est Marthe qui vint m'ouvrir. Je faillis lui sauter au cou, comme les gens qui se connaissent à peine, après avoir échappé au naufrage. Elle n'y

eût rien compris. Sans doute me trouva-t-elle
l'air égaré, car, avant toute chose, je lui demandai
pourquoi " il y avait le feu ".

— C'est qu'en vous attendant, j'avais fait
dans la cheminée du salon un feu de bois d'olivier,
à la lueur duquel je lisais.


En entrant dans la petite chambre qui lui
servait de salon, peu encombrée de meubles,
et que les tentures, les gros tapis doux comme
un poil de bête, rétrécissaient jusqu'à lui
donner l'aspect d'une boîte, je fus à la fois heureux et malheureux comme un dramaturge qui,
voyant sa pièce, y découvre trop tard des fautes.

Marthe s'était de nouveau étendue le long
de la cheminée, tisonnant la braise, et prenant
garde à ne pas mêler quelque parcelle noire aux
cendres.

— Vous n'aimez peut-être pas l'odeur de
l'olivier? Ce sont mes beaux-parents qui en ont
fait venir pour moi une provision de leur pro-
priété du Midi.

Marthe semblait s'excuser d'un détail de son
cru, dans cette chambre qui était mon œuvre.
Peut-être cet élément détruisait-il un tout, qu'elle
comprenait mal.

Au contraire. Ce feu me ravit, et aussi de
voir qu'elle attendait comme moi de se sentir
brûlante d'un côté, pour se retourner de l'autre.
Son visage calme et sérieux ne m'avait jamais paru
plus beau que dans cette lumière sauvage. A ne
pas se répandre dans la pièce, cette lumière gardait
toute sa force. Dès qu'on s'en éloignait, il faisait
nuit, et on se cognait aux meubles.

Marthe ignorait ce que c'est que d'être mutine.
Dans son enjouement, elle restait grave.

Mon esprit s'engourdissait peu à peu auprès
d'elle, je la trouvai différente. C'est que, maintenant que j'étais sûr de ne plus l'aimer, je commençais à l'aimer. Je me sentais incapable de
calculs, de machinations, de tout ce dont, jusqu'alors, et encore à ce moment-là, je croyais
que l'amour ne peut se passer. Tout à coup, je
me sentais meilleur. Ce brusque changement aurait
ouvert les yeux de tout autre : je ne vis pas que
j'étais amoureux de Marthe. Au contraire, j'y vis
la preuve que mon amour était mort, et qu'une
belle amitié le remplacerait. Cette longue perspective d'amitié me fit admettre soudain combien
un autre sentiment eût été criminel, lésant un

homme qui l'aimait, à qui elle devait appartenir, et qui ne pouvait la voir.

Pourtant, autre chose m'aurait dû renseigner sur mes véritables sentiments. Il y a quelques mois, quand je rencontrais Marthe, mon prétendu amour ne m'empêchait pas de la juger, de trouver laides la plupart des choses qu'elle trouvait belles, là plupart des choses qu'elle disait, enfantines. Aujourd'hui, si je ne pensais pas comme elle, je me donnais tort. Après la grossièreté de mes premiers désirs, c'était la douceur d'un sentiment plus profond qui me trompait. Je ne me sentais plus capable de rien entreprendre de ce que je m'étais promis. Je commençais à respecter Marthe, parce que je commençais à l'aimer.

Je revins tous les soirs; je ne pensai même pas à la prier de me montrer sa chambre, encore moins à lui demander comment Jacques trouvait nos meubles. Je ne souhaitais rien d'autre que ces fiançailles éternelles, nos corps étendus près de la cheminée, se touchant l'un l'autre, et moi, n'osant bouger, de peur qu'un seul de mes gestes suffît à chasser le bonheur.

Mais Marthe, qui goûtait le même charme, croyait le goûter seule. Dans ma paresse heureuse, elle lut de l'indifférence. Pensant que

je ne l'aimais pas, elle s'imagina que je me lasse-
rais vite de ce salon silencieux, si elle ne faisait
rien pour m'attacher à elle.

Nous nous taisions. J'y voyais une preuve du
bonheur.

Je me sentais tellement près de Marthe, avec la
certitude que nous pensions en même temps aux
mêmes choses, que lui parler m'eût semblé
absurde, comme de parler haut quand on est seul.
Ce silence accablait la pauvre petite. La sagesse
eût été de me servir de moyens de correspondre
aussi grossiers que la parole ou le geste, tout
en déplorant qu'il n'en existât point de plus
subtils.

A me voir tous les jours m'enfoncer de plus
en plus dans ce mutisme délicieux, Marthe se
figura que je m'ennuyais de plus en plus. Elle se
sentait prête à tout pour me distraire.

Sa chevelure dénouée, elle aimait dormir près
du feu. Ou plutôt je croyais qu'elle dormait. Son
sommeil lui était prétexte, pour mettre ses bras
autour de mon cou, et une fois réveillée, les yeux
humides, me dire qu'elle venait d'avoir un rêve
triste. Elle ne voulait jamais me le raconter. Je
profitais de son faux sommeil pour respirer ses
cheveux, son cou, ses joues brûlantes, et en les

effleurant à peine pour qu'elle ne se réveillât
point; toutes caresses qui ne sont pas, comme on
croit, la menue monnaie de l'amour, mais, au
contraire, la plus rare, et auxquelles seule la
passion puisse recourir. Moi, je les croyais per-
mises à mon amitié. Pourtant, je commençai à
me désespérer sérieusement de ce que seul l'amour
nous donnât des droits sur une femme. Je me
passerai bien de l'amour, pensai-je, mais jamais
de n'avoir aucun droit sur Marthe. Et, pour en
avoir, j'étais même décidé à l'amour, tout en
croyant le déplorer. Je désirais Marthe et ne le
comprenais pas.

Quand elle dormait ainsi, sa tête appuyée
contre un de mes bras, je me penchais sur elle
pour voir son visage entouré de flammes. C'était
jouer avec le feu. Un jour que je m'approchais
trop sans pourtant que mon visage touchât le
sien, je fus comme l'aiguille qui dépasse d'un
millimètre la zone interdite et appartient à l'aimant.
Est-ce la faute de l'aimant ou de l'aiguille? C'est
ainsi que je sentis mes lèvres contre les siennes.
Elle fermait encore les yeux, mais visiblement
comme quelqu'un qui ne dort pas. Je l'embrassai,
stupéfait de mon audace, alors qu'en réalité

c'était elle qui, lorsque j'approchais de son visage,
avait attiré ma tête contre sa bouche. Ses deux
mains s'accrochaient à mon cou; elles ne se seraient
pas accrochées plus furieusement dans un naufrage. Et je ne comprenais pas si elle voulait que
je la sauve, ou bien que je me noie avec elle.

Maintenant, elle s'était assise, elle tenait ma
tête sur ses genoux, caressant mes cheveux, et me
répétant très doucement : " Il faut que tu t'en
ailles, il ne faut plus jamais revenir. " Je n'osais
pas la tutoyer; lorsque je ne pouvais plus me
taire, je cherchais longuement mes mots, construi-
sant mes phrases de façon à ne pas lui parler
directement, car si je ne pouvais pas la tutoyer, je
sentais combien il était encore plus impossible de
lui dire vous. Mes larmes me brûlaient. S'il en
tombait une sur la main de Marthe, je m'attendais toujours à l'entendre pousser un cri. Je
m'accusai d'avoir rompu le charme, me disant
qu'en effet j'avais été fou de poser mes lèvres
contre les siennes, oubliant que c'était elle qui
m'avait embrassé. " Il faut que tu t'en ailles, ne
plus jamais revenir. " Mes larmes de rage se
mêlaient à mes larmes de peine. Ainsi la fureur du
loup pris lui fait autant de mal que le piège. Si
j'avais parlé, ç'aurait été pour injurier Marthe.

Mon silence l'inquiéta; elle y voyait de la résignation. "Puisqu'il est trop tard, la faisais-je penser, dans mon injustice peut-être clairvoyante, après tout, j'aime autant qu'il souffre. " Dans ce feu, je grelottais, je claquais des dents. A ma véritable peine qui me sortait de l'enfance, s'ajoutaient des sentiments enfantins. J'étais le spectateur qui ne veut pas s'en aller parce que le dénouement lui déplaît. Je lui dis : " Je ne m'en irai pas. Vous vous êtes moquée de moi. Je ne veux plus vous voir. "

Car si je ne voulais pas rentrer chez mes parents, je ne voulais pas non plus revoir Marthe. Je l'aurais plutôt chassée de chez elle!

Mais elle sanglotait : "Tu es un enfant. Tu ne comprends donc pas que si je te demande de t'en aller, c'est que je t'aime. "

Haineusement, je lui dis que je comprenais fort bien qu'elle avait des devoirs et que son mari était à la guerre.

Elle secouait la tête : " Avant toi, j'étais heureuse, je croyais aimer mon fiancé. Je lui pardonnais de ne pas bien me comprendre. C'est toi qui m'as montré que je ne l'aimais pas. Mon devoir n'est pas celui que tu penses. Ce n'est pas de ne pas mentir à mon mari, mais de ne pas te mentir.

Va-t'en et ne me crois pas méchante; bientôt
tu m'auras oubliée. Mais je ne veux pas causer
le malheur de ta vie. Je pleure, parce que je suis
trop vieille pour toi! "

Ce mot d'amour était sublime d'enfantillage.
Et, quelles que soient les passions que j'éprouve
dans la suite, jamais ne sera plus possible l'émotion
adorable de voir une fille de dix-neuf ans pleurer
parce qu'elle se trouve trop vieille.

La saveur du premier baiser m'avait déçu
comme un fruit que l'on goûte pour la première
fois. Ce n'est pas dans la nouveauté, c'est dans
l'habitude que nous trouvons les plus grands
plaisirs. Quelques minutes après, non seulement
j'étais habitué à la bouche de Marthe, mais encore
je ne pouvais plus m'en passer. Et c'est alors qu'elle
parlait de m'en priver à tout jamais.

Ce soir-là, Marthe me reconduisit jusqu'à la
maison. Pour me sentir plus près d'elle, je me
blottissais sous cape, et je la tenais par la taille.
Elle ne disait plus qu'il ne fallait pas nous revoir;
au contraire, elle était triste à la pensée que nous
allions nous quitter dans quelques instants. Elle
me faisait lui jurer mille folies.

Devant la maison de mes parents, je ne voulus
pas laisser Marthe repartir seule, et l'accompagnai
jusque chez elle. Sans doute ces enfantillages
n'eussent-ils jamais pris fin, car elle voulait
m'accompagner encore. J'acceptai, à condition
qu'elle me laisserait à moitié route.

J'arrivai une demi-heure en retard pour le
dîner. C'était la première fois. Je mis ce retard
sur le compte du train. Mon père fit semblant
de le croire.


Plus rien ne me pesait. Dans la rue, je marchais
aussi légèrement que dans mes rêves.

Jusqu'ici tout ce que j'avais convoité, enfant,
il en avait fallu faire mon deuil. D'autre part, la
reconnaissance me gâtait les jouets offerts. Quel
prestige aurait pour un enfant un jouet qui se
donne lui-même! J'étais ivre de passion. Marthe
était à moi; ce n'est pas moi qui l'avais dit, c'était
elle. Je pouvais toucher sa figure, embrasser ses
yeux, ses bras, l'habiller, l'abîmer, à ma guise.
Dans mon délire, je la mordais aux endroits où
sa peau était nue, pour que sa mère la soup-
çonnât d'avoir un amant. J'aurais voulu pouvoir
y marquer mes initiales. Ma sauvagerie d'enfant
retrouvait le vieux sens des tatouages. Marthe

disait : " Oui, mords-moi, marque-moi, je voudrais que tout le monde sache. "

J'aurais voulu pouvoir embrasser ses seins. Je n'osais pas le lui demander, pensant qu'elle saurait les offrir elle-même, comme ses lèvres. Au bout de quelques jours, l'habitude d'avoir ses lèvres étant venue, je n'envisageai pas d'autre délice.

Nous lisions ensemble à la lueur du feu. Elle y jetait souvent des lettres que son mari lui envoyait, chaque jour, du front. A leur inquiétude, on devinait que celles de Marthe se faisaient de moins en moins tendres et de plus en plus rares. Je ne voyais pas flamber ces lettres sans malaise. Elles grandissaient une seconde le feu et, somme toute, j'avais peur de voir plus clair.

Marthe, qui souvent maintenant me demandait s'il était vrai que je l'avais aimée dès notre première rencontre, me reprochait de ne le lui avoir pas dit avant son mariage. Elle ne se serait pas mariée, prétendait-elle; car, si elle avait

éprouvé pour Jacques une sorte d'amour au début
de leurs fiançailles, celles-ci, trop longues, par la
faute de la guerre, avaient peu à peu effacé l'amour
de son cœur. Elle n'aimait déjà plus Jacques quand
elle l'épousa. Elle espérait que ces quinze jours
de permission accordés à Jacques transforme-
raient peut-être ses sentiments.

Il fut malhabile. Celui qui aime agace toujours
celui qui n'aime pas. Et Jacques l'aimait toujours
davantage. Ses lettres étaient de quelqu'un qui
souffre, mais plaçant trop haut sa Marthe pour la
croire capable de trahison. Aussi n'accusait-il que
lui, la suppliant seulement de lui expliquer quel
mal il avait pu lui faire : " Je me trouve si grossier
à côté de toi, je sens que chacune de mes paroles
te blesse. " Marthe lui répondait seulement qu'il
se trompait, qu'elle ne lui reprochait rien.

Nous étions alors au début de mars. Le printemps était précoce. Les jours où elle ne m'accom-
pagnait pas à Paris, Marthe, nue sous un peignoir,
attendait que je revinsse de mes cours de dessin,
étendue devant la cheminée où brûlait toujours
l'olivier de ses beaux-parents. Elle leur avait
demandé de renouveler sa provision. Je ne sais
quelle timidité, si ce n'est celle que l'on éprouve
en face de ce qu'on n'a jamais fait, me retenait.

Je pensais à Daphnis. Ici c'est Chloé qui avait reçu quelques leçons, et Daphnis n'osait lui demander de les lui apprendre. Au fait, ne considérais-je pas Marthe plutôt comme une vierge, livrée, la première quinzaine de ses noces, à un inconnu et plusieurs fois prise par lui de force?

Le soir, seul dans mon lit, j'appelais Marthe, m'en voulant, moi qui me croyais un homme, de ne l'être pas assez pour finir d'en faire ma maîtresse. Chaque jour, allant chez elle, je me promettais de ne pas sortir qu'elle ne le fût.

Le jour de l'anniversaire de mes seize ans, au mois de mars 1918, tout en me suppliant de ne pas me fâcher, elle me fit cadeau d'un peignoir, semblable au sien, qu'elle voulait me voir mettre chez elle. Dans ma joie, je faillis faire un calembour, moi qui n'en faisais jamais. Ma robe prétexte! Car il me semblait que ce qui jusqu'ici avait entravé mes désirs, c'était la peur du ridicule, de me sentir habillé, lorsqu'elle ne l'était pas. D'abord je pensai à mettre cette robe le jour même. Puis, je rougis, comprenant ce que son cadeau contenait de reproches.

Dès le début de notre amour, Marthe m'avait donné une clef de son appartement, afin que je n'eusse pas à l'attendre dans le jardin, si, par hasard, elle était en ville. Je pouvais me servir moins innocemment de cette clef. Nous étions un samedi. Je quittai Marthe en lui promettant de venir déjeuner le lendemain avec elle. Mais j'étais décidé à revenir le soir aussitôt que possible.

A dîner, j'annonçai à mes parents que j'entreprendrais le lendemain avec René une longue promenade dans la forêt de Sénart. Je devais pour cela partir à cinq heures du matin. Comme toute la maison dormirait encore, personne ne

pourrait deviner l'heure à laquelle j'étais parti,
et si j'avais découché.

A peine avais-je fait part de ce projet à ma mère,
qu'elle voulut préparer elle-même un panier
rempli de provisions, pour la route. J'étais
consterné, ce panier détruisait tout le romanesque
et le sublime de mon acte. Moi qui goûtais d'avance
l'effroi de Marthe quand j'entrerais dans sa
chambre, je pensais maintenant à ses éclats de
rire en voyant paraître ce prince Charmant, un
panier de ménagère à son bras. J'eus beau dire à
ma mère que René s'était muni de tout, elle ne
voulut rien entendre. Résister davantage, c'était
éveiller les soupçons.

Ce qui fait le malheur des uns causerait le
bonheur des autres. Tandis que ma mère emplis-
sait le panier qui me gâtait d'avance ma première
nuit d'amour, je voyais les yeux pleins de convoi-
tise de mes frères. Je pensai bien à le leur offrir
en cachette, mais une fois tout mangé, au risque
de se faire fouetter, et pour le plaisir de me perdre,
ils eussent tout raconté.

Il fallait donc me résigner, puisque nulle
cachette ne semblait assez sûre.

Je m'étais juré de ne pas partir avant minuit
pour être sûr que mes parents dormissent. J'es-

sayai de lire. Mais comme dix heures sonnaient
à la mairie, et que mes parents étaient couchés
depuis quelque temps déjà, je ne pus attendre.
Ils habitaient au premier étage, moi au rez-de-
chaussée. Je n'avais pas mis mes bottines afin
d'escalader le mur le plus silencieusement possible. Les tenant d'une main, tenant de l'autre ce
panier fragile à cause des bouteilles, j'ouvris avec
précaution une petite porte d'office. Il pleuvait.
Tant mieux! la pluie couvrirait le bruit. Aperce-
vant que la lumière n'était pas encore éteinte dans
la chambre de mes parents, je fus sur le point de
me recoucher. Mais j'étais en route. Déjà la
précaution des bottines était impossible; à cause
de la pluie je dus les remettre. Ensuite, il me
fallait escalader le mur pour ne point ébranler
la cloche de la grille. Je m'approchai du mur,
contre lequel j'avais pris soin, après le dîner, de
poser une chaise de jardin pour faciliter mon éva-
sion. Ce mur était garni de tuiles à son faîte. La
pluie les rendait glissantes. Comme je m'y sus-
pendais, l'une d'elles tomba. Mon angoisse décu-
pla le bruit de sa chute. Il fallait maintenant sauter
dans la rue. Je tenais le panier avec mes dents;
je tombai dans une flaque. Une longue minute, je
restai debout, les yeux levés vers la fenêtre de mes

parents, pour voir s'ils bougeaient, s'étant aperçus
de quelque chose. La fenêtre resta vide. J'étais
sauf!

Pour me rendre jusque chez Marthe, je suivis
la Marne. Je comptais cacher mon panier dans
un buisson et le reprendre le lendemain. La
guerre rendait cette chose dangereuse. En effet,
au seul endroit où il y eût des buissons et où il
était possible de cacher le panier, se tenait une
sentinelle, gardant le pont de J... J'hésitai longtemps, plus pâle qu'un homme qui pose une
cartouche de dynamite. Je cachai tout de même
mes victuailles.

La grille de Marthe était fermée. Je pris la clef
qu'on laissait toujours dans la boîte aux lettres.
Je traversai le petit jardin sur la pointe des pieds,
puis montai les marches du perron. J'ôtai encore
mes bottines avant de prendre l'escalier.

Marthe était si nerveuse! Peut-être s'éva-
nouirait-elle en me voyant dans sa chambre.
Je tremblai; je ne trouvai pas le trou de la serrure.
Enfin, je tournai la clef lentement, afin de ne
réveiller personne. Je butai dans l'antichambre
contre le porte-parapluies. Je craignais de prendre
les sonnettes pour des commutateurs. J'allai à
tâtons jusqu'à la chambre. Je m'arrêtai avec,

encore, l'envie de fuir. Peut-être Marthe ne me
pardonnerait jamais. Ou bien si j'allais tout à coup
apprendre qu'elle me trompe, et la trouver avec
un homme!

J'ouvris. Je murmurai :

— Marthe?

Elle répondit :

— Plutôt que de me faire une peur pareille, tu
aurais bien pu ne venir que demain matin. Tu as
donc ta permission huit jours plus tôt?

Elle me prenait pour Jacques!

Or, si je voyais de quelle façon elle l'eût
accueilli, j'apprenais du même coup qu'elle me
cachait déjà quelque chose. Jacques devait donc
venir dans huit jours!

J'allumai. Elle restait tournée contre le mur.
Il était simple de dire : " C'est moi ", et pourtant,
je ne le disais pas. Je l'embrassai dans le cou.

— Ta figure est toute mouillée. Essuie-toi
donc.

Alors, elle se retourna et poussa un cri.

D'une seconde à l'autre, elle changea d'attitude et, sans prendre la peine de s'expliquer ma
présence nocturne :

— Mais mon pauvre chéri, tu vas prendre mal!
Déshabille-toi vite.

Elle courut ranimer le feu dans le salon. A son retour dans la chambre, comme je ne bougeais pas, elle dit :

— Veux-tu que je t'aide?

Moi qui redoutais par-dessus tout le moment où je devrais me déshabiller et qui en envisageais le ridicule, je bénissais la pluie grâce à quoi ce déshabillage prenait un sens maternel. Mais Marthe repartait, revenait, repartait dans la cuisine, pour voir si l'eau de mon grog était chaude. Enfin, elle me trouva nu sur le lit, me cachant à moitié sous l'édredon. Elle me gronda : c'était fou de rester nu; il fallait me frictionner à l'eau de Cologne.

Puis, Marthe ouvrit une armoire et me jeta un costume de nuit. " Il devait être de ma taille. " Un costume de Jacques! Et je pensais à l'arrivée, fort possible, de ce soldat, puisque Marthe y avait cru.

J'étais dans le lit. Marthe m'y rejoignit. Je lui demandai d'éteindre. Car, même en ses bras, je me méfiais de ma timidité. Les ténèbres me donneraient du courage. Marthe me répondit doucement :

— Non. Je veux te voir t'endormir.

A cette parole pleine de grâce, je sentis quelque

gêne. J'y voyais la touchante douceur de cette femme qui risquait tout pour devenir ma maî-tresse et, ne pouvant deviner ma timidité maladive, admettait que je m'endormisse auprès d'elle. Depuis quatre mois, je disais l'aimer, et ne lui en donnais pas cette preuve dont les hommes sont si prodigues et qui souvent leur tient lieu d'amour. J'éteignis de force.

Je me retrouvai avec le trouble de tout à l'heure, avant d'entrer chez Marthe. Mais comme l'attente devant la porte, celle devant l'amour ne pouvait être bien longue. Du reste, mon ima-gination se promettait de telles voluptés qu'elle n'arrivait plus à les concevoir. Pour la première fois aussi, je redoutai de ressembler au mari et de laisser à Marthe un mauvais souvenir de nos premiers moments d'amour.

Elle fut donc plus heureuse que moi. Mais la minute où nous nous désenlaçâmes, et ses yeux admirables, valaient bien mon malaise.

Son visage s'était transfiguré. Je m'étonnai même de ne pas pouvoir toucher l'auréole qui entourait vraiment sa figure, comme dans les tableaux religieux.

Soulagé de mes craintes, il m'en venait d'autres.

C'est que, comprenant enfin la puissance des

gestes que ma timidité n'avait osés jusqu'alors,
je tremblais que Marthe appartînt à son mari
plus qu'elle ne voulait le prétendre.

Comme il m'est impossible de comprendre
ce que je goûte la première fois, je devais connaître ces jouissances de l'amour chaque jour
davantage.

En attendant, le faux plaisir m'apportait une
vraie douleur d'homme : la jalousie.

J'en voulais à Marthe, parce que je comprenais,
à son visage reconnaissant, tout ce que valent
les liens de la chair. Je maudissais l'homme qui
avait avant moi éveillé son corps. Je considérai
ma sottise d'avoir vu en Marthe une vierge. A
toute autre époque, souhaiter la mort de son mari,
c'eût été chimère enfantine, mais ce vœu devenait
presque aussi criminel que si j'eusse tué. Je
devais à la guerre mon bonheur naissant; j'en
attendais l'apothéose. J'espérais qu'elle servirait
ma haine comme un anonyme commet le crime à
notre place.

Maintenant, nous pleurons ensemble; c'est
la faute du bonheur. Marthe me reproche de
n'avoir pas empêché son mariage. " Mais alors,
serais-je dans ce lit choisi par moi? Elle vivrait
chez ses parents; nous ne pourrions nous voir.

Elle n'aurait jamais appartenu à Jacques, mais elle
ne m'appartiendrait pas. Sans lui, et ne pouvant
comparer, peut-être regretterait-elle encore, espérant mieux. Je ne hais pas Jacques. Je hais la
certitude de tout devoir à cet homme que nous
trompons. Mais j'aime trop Marthe pour trouver
notre bonheur criminel. "

Nous pleurons ensemble de n'être que des
enfants, disposant de peu. Enlever Marthe!
Comme elle n'appartient à personne, qu'à moi,
ce serait me l'enlever, puisqu'on nous séparerait.
Déjà, nous envisageons la fin de la guerre, qui
sera celle de notre amour. Nous le savons, Marthe
a beau me jurer qu'elle quittera tout, qu'elle me
suivra, je ne suis pas d'une nature portée à la
révolte, et, me mettant à la place de Marthe, je
n'imagine pas cette folle rupture. Marthe m'ex-
plique pourquoi elle se trouvait trop vieille. Dans
quinze ans, la vie ne fera encore que commencer
pour moi, des femmes m'aimeront, qui auront
l'âge qu'elle a. " Je ne pourrais que souffrir,
ajoute-t-elle. Si tu me quittes, j'en mourrai. Si tu
restes, ce sera par faiblesse, et je souffrirai de te
voir sacrifier ton bonheur. "

Malgré mon indignation, je m'en voulais de
ne point paraître assez convaincu du contraire.

Mais Marthe ne demandait qu'à l'être, et mes plus
mauvaises raisons lui semblaient bonnes. Elle
répondait : " Oui, je n'ai pas pensé à cela. Je sens
bien que tu ne mens pas. " Moi, devant les craintes
de Marthe, je sentais ma confiance moins solide.
Alors mes consolations étaient molles. J'avais
l'air de ne la détromper que par politesse. Je lui
disais : " Mais non, mais non, tu es folle. "
Hélas ! j'étais trop sensible à la jeunesse pour ne
pas envisager que je me détacherais de Marthe,
le jour où sa jeunesse se fanerait, et que s'épa-
nouirait la mienne.

Bien que mon amour me parût avoir atteint
sa forme définitive, il était à l'état d'ébauche.
Il faiblissait au moindre obstacle.

Donc, les folies que cette nuit-là firent nos
âmes, nous fatiguèrent davantage que celles de
notre chair. Les unes semblaient nous reposer
des autres ; en réalité, elles nous achevaient. Les
coqs, plus nombreux, chantaient. Ils avaient
chanté toute la nuit. Je m'aperçus de ce mensonge
poétique : les coqs chantent au lever du soleil.
Ce n'était pas extraordinaire. Mon âge ignorait
l'insomnie. Mais Marthe le remarqua aussi, avec
tant de surprise, que ce ne pouvait être que la

première fois. Elle ne put comprendre la force
avec laquelle je la serrai contre moi, car sa surprise me donnait la preuve qu'elle n'avait pas
encore passé une nuit blanche avec Jacques.

Mes transes me faisaient prendre notre amour
pour un amour exceptionnel. Nous croyons être
les premiers à ressentir certains troubles, ne
sachant pas que l'amour est comme la poésie, et
que tous les amants, même les plus médiocres,
s'imaginent qu'ils innovent. Disais-je à Marthe
(sans y croire d'ailleurs), mais pour lui faire penser
que je partageais ses inquiétudes : "Tu me délais-
seras, d'autres hommes te plairont", elle m'affir-
mait être sûre d'elle. Moi, de mon côté, je me
persuadais peu à peu que je lui resterais, même
quand elle serait moins jeune, ma paresse finis-
sant par faire dépendre notre éternel bonheur
de son énergie.

Le sommeil nous avait surpris dans notre
nudité. A mon réveil, la voyant découverte,
je craignis qu'elle n'eût froid. Je tâtai son corps.
Il était brûlant. La voir dormir me procurait
une volupté sans égale. Au bout de dix minutes,
cette volupté me parut insupportable. J'embrassai
Marthe sur l'épaule. Elle ne s'éveilla pas. Un
second baiser, moins chaste, agit avec la violence

d'un réveille-matin. Elle sursauta, et, se frottant
les yeux, me couvrit de baisers, comme quelqu'un
qu'on aime et qu'on retrouve dans son lit après
avoir rêvé qu'il est mort. Elle, au contraire, avait
cru rêver ce qui était vrai, et me retrouvait au
réveil.

Il était déjà onze heures. Nous buvions notre
chocolat, quand nous entendîmes la sonnette. Je
pensai à Jacques : " Pourvu qu'il ait une arme. "
Moi qui avais si peur de la mort, je ne tremblais
pas. Au contraire, j'aurais accepté que ce fût
Jacques, à condition qu'il nous tuât. Toute autre
solution me semblait ridicule.

Envisager la mort avec calme ne compte que si
nous l'envisageons seul. La mort à deux n'est
plus la mort, même pour les incrédules. Ce qui
chagrine, ce n'est pas de quitter la vie, mais de
quitter ce qui lui donne un sens. Lorsqu'un
amour est notre vie, quelle différence y a-t-il
entre vivre ensemble ou mourir ensemble?

Je n'eus pas le temps de me croire un héros,
car, pensant que peut-être Jacques ne tuerait
que Marthe, ou moi, je mesurai mon égoïsme.
Savais-je même, de ces deux drames, lequel
était le pire?

Comme Marthe ne bougeait pas, je crus m'être

trompé, et qu'on avait sonné chez les propriétaires. Mais la sonnette retentit de nouveau.

— Tais-toi, ne bouge pas! murmura-t-elle,
ce doit être ma mère. J'avais complètement
oublié qu'elle passerait après la messe.

J'étais heureux d'être témoin d'un de ses
sacrifices. Dès qu'une maîtresse, un ami, sont
en retard de quelques minutes à un rendez-vous,
je les vois morts. Attribuant cette forme d'angoisse à sa mère, je savourais sa crainte, et que ce
fût par ma faute qu'elle l'éprouvât.

Nous entendîmes la grille du jardin se refermer,
après un conciliabule (évidemment, Mme Grangier demandait au rez-de-chaussée si on avait vu
ce matin sa fille). Marthe regarda derrière les
volets et me dit : " C'était bien elle. " Je ne pus
résister au plaisir de voir, moi aussi, Mme Grangier repartant, son livre de messe à la main,
inquiète de l'absence incompréhensible de sa
fille. Elle se retourna encore vers les volets clos.

Maintenant qu'il ne me restait plus rien à désirer, je me sentais devenir injuste. Je m'affectais de ce que Marthe pût mentir sans scrupules à sa mère, et ma mauvaise foi lui reprochait de pouvoir mentir. Pourtant l'amour, qui est l'égoïsme à deux, sacrifie tout à soi, et vit de mensonges. Poussé par le même démon, je lui fis encore le reproche de m'avoir caché l'arrivée de son mari. Jusqu'alors, j'avais maté mon despotisme, ne me sentant pas le droit de régner sur Marthe. Ma dureté avait des accalmies. Je gémissais : " Bientôt tu me prendras en horreur. Je suis comme ton mari, aussi brutal. — Il n'est pas brutal ", disait-elle. Je reprenais de plus belle : " Alors, tu nous trompes tous les deux, dis-moi que tu l'aimes, sois contente : dans huit jours tu pourras me tromper avec lui. "

Elle se mordait les lèvres, pleurait : " Qu'ai-je donc fait qui te rende aussi méchant? Je t'en supplie, n'abîme pas notre premier jour de bonheur.

— Il faut que tu m'aimes bien peu pour qu'aujourd'hui soit ton premier jour de bonheur.

Ces sortes de coups blessent celui qui les porte. Je ne pensais rien de ce que je disais, et pourtant j'éprouvais le besoin de le dire. Il m'était impossible d'expliquer à Marthe que mon amour grandissait. Sans doute atteignait-il l'âge ingrat, et cette taquinerie féroce, c'était la mue de l'amour devenant passion. Je souffrais. Je suppliai Marthe d'oublier mes attaques.

La bonne des propriétaires glissa des lettres sous la porte. Marthe les prit. Il y en avait deux de Jacques. Comme réponse à mes doutes : " Faisen, dit-elle, ce que bon te semble. " J'eus honte. Je lui demandai de les lire, mais de les garder pour elle. Marthe, par un de ces réflexes qui nous poussent aux pires bravades, déchira une des enveloppes. Difficile à déchirer, la lettre devait être longue. Son geste devint une nouvelle occasion de reproches. Je détestais cette bravade, le remords qu'elle ne manquerait pas d'en ressentir. Je fis, malgré tout, un effort, et, voulant qu'elle ne déchirât point la seconde lettre, je gardai pour moi que d'après cette scène il était impos-

sible que Marthe ne fût pas méchante. Sur ma
demande, elle la lut. Un réflexe pouvait lui faire
déchirer la première lettre, mais non lui faire dire,
après avoir parcouru la seconde : " Le Ciel nous
récompense de n'avoir pas déchiré la lettre.
Jacques m'y annonce que les permissions viennent
d'être suspendues dans son secteur, il ne viendra
pas avant un mois. "

L'amour seul excuse de telles fautes de goût.

Ce mari commençait à me gêner, plus que
s'il avait été là et que s'il avait fallu prendre
garde. Une lettre de lui prenait soudain l'importance d'un spectre. Nous déjeunâmes tard. Vers
cinq heures, nous allâmes nous promener au bord
de l'eau. Marthe resta stupéfaite lorsque d'une
touffe d'herbes je sortis un panier, sous l'œil de la
sentinelle. L'histoire du panier l'amusa bien. Je
n'en craignais plus le grotesque. Nous marchions,
sans nous rendre compte de l'indécence de notre
tenue, nos corps collés l'un contre l'autre. Nos
doigts s'enlaçaient. Ce premier dimanche de
soléil avait fait pousser les promeneurs à chapeau
de paille, comme la pluie les champignons.
Les gens qui connaissaient Marthe n'osaient pas
lui dire bonjour; mais elle, ne se rendant compte

de rien, leur disait bonjour sans malice. Ils durent
y voir une fanfaronnade. Elle m'interrogeait
pour savoir comment je m'étais enfui de la maison.
Elle riait, puis sa figure s'assombrissait; alors elle
me remerciait, en me serrant les doigts de toutes
ses forces, d'avoir couru tant de risques. Nous
repassâmes chez elle pour y déposer le panier. A
vrai dire, j'entrevis pour ce panier, sous forme
d'envoi aux armées, une fin digne de ces aventures. Mais cette fin était si choquante que je la
gardai pour moi.

Marthe voulait suivre la Marne jusqu'à La
Varenne. Nous dînerions en face de l'île d'Amour.
Je lui promis de lui montrer le musée de l'Écu de
France, le premier musée que j'avais vu, tout
enfant, et qui m'avait ébloui. J'en parlais à
Marthe comme d'une chose très intéressante.
Mais quand nous constatâmes que ce musée était
une farce, je ne voulus pas admettre que je m'étais
trompé à ce point. Les ciseaux de Fulbert! tout!
j'avais tout cru. Je prétendis avoir fait à Marthe
une plaisanterie innocente. Elle ne comprenait
pas, car il était peu dans mes habitudes de plai-
santer. A vrai dire, cette déconvenue me rendait
mélancolique. Je me disais : Peut-être moi qui,
aujourd'hui, crois tellement à l'amour de Marthe,

y verrai-je un attrape-nigaud, comme le musée
de l'Écu de France!

Car je doutais souvent de son amour. Quelquefois, je me demandais si je n'étais pas pour
elle un passe-temps, un caprice dont elle pourrait
se détacher du jour au lendemain, la paix la
rappelant à ses devoirs. Pourtant, me disais-je, il
y a des moments où une bouche, des yeux, ne
peuvent mentir. Certes. Mais une fois ivres, les
hommes les moins généreux se fâchent si l'on
n'accepte pas leur montre, leur portefeuille. Dans
cette veine, ils sont aussi sincères que s'ils se
trouvent en état normal. Les moments où on ne
peut pas mentir sont précisément ceux où l'on
ment le plus, et surtout à soi-même. Croire
une femme " au moment où elle ne peut
mentir ", c'est croire à la fausse générosité d'un
avare.

Ma clairvoyance n'était qu'une forme plus
dangereuse de ma naïveté. Je me jugeais moins
naïf, je l'étais sous une autre forme, puisque aucun
âge n'échappe à la naïveté. Celle de la vieillesse
n'est pas la moindre. Cette prétendue clairvoyance
m'assombrissait tout, me faisait douter de Marthe.
Plutôt, je doutais de moi-même, ne me trouvant
pas digne d'elle. Aurais-je eu mille fois plus de

preuves de son amour, je n'aurais pas été moins malheureux.

Je savais trop le trésor de ce qu'on n'exprime jamais à ceux qu'on aime, par la crainte de paraître puéril, pour ne pas redouter chez Marthe cette pudeur navrante, et je souffrais de ne pouvoir pénétrer son esprit.

Je revins à la maison à neuf heures et demie du soir. Mes parents m'interrogèrent sur ma promenade. Je leur décrivis avec enthousiasme la forêt de Sénart et ses fougères deux fois hautes comme moi. Je parlai aussi de Brunoy, charmant village où nous avions déjeuné. Tout à coup, ma mère, moqueuse, m'interrompant :

— A propos, René est venu cet après-midi à quatre heures, très étonné en apprenant qu'il faisait une grande promenade avec toi.

J'étais rouge de dépit. Cette aventure, et bien d'autres, m'apprirent que, malgré certaines dispositions, je ne suis pas fait pour le mensonge. On m'y attrape toujours. Mes parents n'ajoutèrent rien d'autre. Ils eurent le triomphe modeste.

Mon père, d'ailleurs, était inconsciemment complice de mon premier amour. Il l'encourageait plutôt, ravi que ma précocité s'affirmât d'une façon ou d'une autre. Il avait aussi toujours eu peur que je tombasse entre les mains d'une mauvaise femme. Il était content de me savoir aimé d'une brave fille. Il ne devait se cabrer que le jour où il eut la preuve que Marthe souhaitait le divorce.

Ma mère, elle, ne voyait pas notre liaison d'un aussi bon œil. Elle était jalouse. Elle regardait Marthe avec des yeux de rivale. Elle trouvait Marthe antipathique, ne se rendant pas compte que toute femme, du fait de mon amour, le lui

serait devenue. D'ailleurs, elle se préoccupait plus
que mon père du qu'en-dira-t-on. Elle s'étonnait
que Marthe pût se compromettre avec un gamin
de mon âge. Puis, elle avait été élevée à F...
Dans toutes ces petites villes de banlieue, du
moment qu'elles s'éloignent de la banlieue ou-
vrière, sévissent les mêmes passions, la même soif
de racontars qu'en province. Mais, en outre,
le voisinage de Paris rend les racontars, les suppositions plus délurés. Chacun y doit tenir son rang.
C'est ainsi que pour avoir une maîtresse, dont le
mari était soldat, je vis peu à peu, et sur l'injonc-
tion de leurs parents, s'éloigner mes camarades.
Ils disparurent par ordre hiérarchique : depuis le
fils du notaire, jusqu'à celui de notre jardinier.
Ma mère était atteinte par ces mesures qui me
semblaient un hommage. Elle me voyait perdu
par une folle. Elle reprochait certainement à mon
père de me l'avoir fait connaître, et de fermer les
yeux. Mais, estimant que c'était à mon père
d'agir, et mon père se taisant, elle gardait le
silence.

Je passais toutes mes nuits chez Marthe. J'y arrivais à dix heures et demie, j'en repartais le matin à cinq ou six. Je ne sautais plus par-dessus les murs. Je me contentais d'ouvrir la porte avec ma clef; mais cette franchise exigeait quelques soins. Pour que la cloche ne donnât pas l'éveil, j'enveloppais le soir son battant avec de l'ouate. Je l'ôtais le lendemain en rentrant.

A la maison, personne ne se doutait de mes absences; il n'en allait pas de même à J... Depuis quelque temps déjà, les propriétaires et le vieux ménage me voyaient d'un assez mauvais œil, répondant à peine à mes saluts.

Le matin, à cinq heures, pour faire le moins

de bruit possible, je descendais, mes souliers
à la main. Je les remettais en bas. Un matin, je
croisai dans l'escalier le garçon laitier. Il tenait
ses boîtes de lait à la main; je tenais, moi, mes
souliers. Il me souhaita le bonjour avec un sourire
terrible. Marthe était perdue. Il allait le raconter
dans tout J... Ce qui me torturait encore le plus
était mon ridicule. Je pouvais acheter le silence
du garçon laitier, mais je m'en abstins faute de
savoir comment m'y prendre.

L'après-midi, je n'osai rien en dire à Marthe.
D'ailleurs, cet épisode était inutile pour que
Marthe fût compromise. C'était depuis longtemps
chose faite. La rumeur me l'attribua même comme
maîtresse bien avant la réalité. Nous ne nous
étions rendu compte de rien. Nous allions bientôt
voir clair. C'est ainsi qu'un jour, je trouvai Marthe
sans forces. Le propriétaire venait de lui dire que
depuis quatre jours, il guettait mon départ à
l'aube. Il avait d'abord refusé de croire, mais il
ne lui restait aucun doute. Le vieux ménage dont
la chambre était sous celle de Marthe se plaignait
du bruit que nous faisions nuit et jour. Marthe
était atterrée, voulait partir. Il ne fut pas question
d'apporter un peu de prudence dans nos rendez-
vous. Nous nous en sentions incapables : le pli

était pris. Alors Marthe commença de comprendre bien des choses qui l'avaient surprise. La seule amie qu'elle chérît vraiment, une jeune fille suédoise, ne répondait pas à ses lettres. J'appris que le correspondant de cette jeune fille nous ayant un jour aperçus dans le train, enlacés, il lui avait conseillé de ne pas revoir Marthe.

Je fis promettre à Marthe que s'il éclatait un drame, où que ce fût, soit chez ses parents, soit avec son mari, elle montrerait de la fermeté. Les menaces du propriétaire, quelques rumeurs, me donnaient tout lieu de craindre, et d'espérer à la fois, une explication entre Marthe et Jacques.

Marthe m'avait supplié de venir la voir souvent, pendant la permission de Jacques, à qui elle avait déjà parlé de moi. Je refusai, redoutant de jouer mal mon rôle et de voir Marthe avec un homme empressé auprès d'elle. La permission devait être de onze jours. Peut-être tricherait-il et trouverait-il le moyen de rester deux jours de plus. Je fis jurer à Marthe de m'écrire chaque jour. J'attendis trois jours avant de me rendre à la poste restante, pour être sûr de trouver une lettre. Il y en avait déjà quatre. Je ne pus les prendre : il me manquait un des papiers d'iden-

tité nécessaires. J'étais d'autant moins à l'aise
que j'avais falsifié mon bulletin de naissance,
l'usage de la poste restante n'étant permis qu'à
partir de dix-huit ans. J'insistais, au guichet, avec
l'envie de jeter du poivre dans les yeux de la
demoiselle des postes, de m'emparer des lettres
qu'elle tenait et ne me donnerait pas. Enfin,
comme j'étais connu à la poste, j'obtins, faute de
mieux, qu'on les envoyât le lendemain chez mes
parents.

Décidément, j'avais encore fort à faire pour
devenir un homme. En ouvrant la première
lettre de Marthe, je me demandai comment
elle exécuterait ce tour de force : écrire une
lettre d'amour. J'oubliais qu'aucun genre épisto-
laire n'est moins difficile : il n'y est besoin
que d'amour. Je trouvai les lettres de Marthe
admirables, et dignes des plus belles que j'avais
lues. Pourtant, Marthe m'y disait des choses
bien ordinaires, et son supplice de vivre loin
de moi.

Il m'étonnait que ma jalousie ne fût pas plus
mordante. Je commençais à considérer Jacques
comme " le mari ". Peu à peu, j'oubliais sa jeunesse, je voyais en lui un barbon.

Je n'écrivais pas à Marthe; il y avait tout de même trop de risques. Au fond, je me trouvais plutôt heureux d'être tenu à ne pas lui écrire, éprouvant, comme devant toute nouveauté, la crainte vague de n'être pas capable, et que mes lettres la choquassent ou lui parussent naïves.

Ma négligence fit qu'au bout de deux jours, ayant laissé traîner sur ma table de travail une lettre de Marthe, elle disparut; le lendemain, elle reparut sur la table. La découverte de cette lettre dérangeait mes plans : j'avais profité de la permission de Jacques, de mes longues heures de présence, pour faire croire chez moi que je me détachais de Marthe. Car, si je m'étais d'abord montré fanfaron pour que mes parents apprissent que j'avais une maîtresse, je commençais à souhaiter qu'ils eussent moins de preuves. Et voici que mon père apprenait la véritable cause de ma sagesse.

Je profitai de ces loisirs pour de nouveau me rendre à l'académie de dessin; car, depuis longtemps, je dessinais mes nus d'après Marthe. Je ne sais pas si mon père le devinait; du moins s'étonnait-il malicieusement, et d'une manière qui me faisait rougir, de la monotonie des modèles. Je retournai donc à la Grande-Chaumière, travaillai beaucoup, afin de réunir une provision d'études pour le reste de l'année, provision que je renouvellerais à la prochaine visite du mari.

Je revis aussi René, renvoyé de Henri-IV. Il allait à Louis-le-Grand. Je l'y cherchais tous les soirs, après la Grande-Chaumière. Nous nous fréquentions en cachette, car depuis son renvoi de Henri-IV, et surtout depuis Marthe, ses parents, qui naguère me considéraient comme un bon exemple, lui avaient défendu ma compagnie.

René, pour qui l'amour, dans l'amour, semblait un bagage encombrant, me plaisantait sur ma passion pour Marthe. Ne pouvant supporter ses pointes, je lui dis lâchement que je n'avais pas de véritable amour. Son admiration pour moi, qui, ces derniers temps, avait faibli, s'en accrut séance tenante.

Je commençais à m'endormir sur l'amour de Marthe. Ce qui me tourmentait le plus, c'était le jeûne infligé à mes sens. Mon énervement était celui d'un pianiste sans piano, d'un fumeur sans cigarettes.

René, qui se moquait de mon cœur, était

pourtant épris d'une femme qu'il croyait aimer
sans amour. Ce gracieux animal, Espagnole
blonde, se désarticulait si bien qu'il devait sortir
d'un cirque. René qui feignait la désinvolture était
fort jaloux. Il me supplia, mi-riant, mi-pâlissant,
de lui rendre un service bizarre. Ce service, pour
qui connaît le collège, était l'idée-type du collégien. Il désirait savoir si cette femme le tromperait.
Il s'agissait donc de lui faire des avances, pour se
rendre compte.

Ce service m'embarrassa. Ma timidité reprenait
le dessus. Mais pour rien au monde je n'aurais
voulu paraître timide et, du reste, la dame vint me
tirer d'embarras. Elle me fit des avances si promptes
que la timidité, qui empêche certaines choses et
oblige à d'autres, m'empêcha de respecter René
et Marthe. Du moins espérais-je y trouver du
plaisir, mais j'étais comme le fumeur habitué à
une seule marque. Il ne me resta donc que le
remords d'avoir trompé René, à qui je jurai que
sa maîtresse repoussait toute avance.

Vis-à-vis de Marthe, je n'éprouvais aucun
remords. Je m'y forçais. J'avais beau me dire que
je ne lui pardonnerais jamais si elle me trompait,
je n'y pus rien. " Ce n'est pas pareil ", me donnai-
je comme excuse avec la remarquable platitude

que l'égoïsme apporte dans ses réponses. De même j'admettais fort bien de ne pas écrire à Marthe, mais, si elle ne m'avait pas écrit, j'y eusse vu qu'elle ne m'aimait pas. Pourtant, cette légère infidélité renforça mon amour.

Jacques ne comprenait rien à l'attitude de sa femme. Marthe, plutôt bavarde, ne lui adressait pas la parole. S'il lui demandait : " Qu'as-tu? " elle répondait : " Rien. "

Mme Grangier eut différentes scènes avec le pauvre Jacques. Elle l'accusait de maladresse envers sa fille, se repentait de la lui avoir donnée. Elle attribuait à cette maladresse de Jacques le brusque changement survenu dans le caractère de sa fille. Elle voulut la reprendre chez elle. Jacques s'inclina. Quelques jours après son arrivée, il accompagna Marthe chez sa mère, qui, flattant ses moindres caprices, encourageait sans se rendre compte son amour pour moi. Marthe

était née dans cette demeure. Chaque chose, disait-
elle à Jacques, lui rappelait le temps heureux où
elle s'appartenait. Elle devait dormir dans sa
chambre de jeune fille. Jacques voulut que tout au
moins on y dressât un lit pour lui. Il provoqua
une crise de nerfs. Marthe refusait de souiller
cette chambre virginale.

M. Grangier trouvait ces pudeurs absurdes.
Mme Grangier en profita pour dire à son mari
et à son gendre qu'ils ne comprenaient rien à la
délicatesse féminine. Elle se sentait flattée que
l'âme de sa fille appartînt si peu à Jacques. Car
tout ce que Marthe ôtait à son mari, Mme Grangier se l'attribuait, trouvant ses scrupules sublimes.
Sublimes, ils l'étaient, mais pour moi.

Les jours où Marthe se prétendait le plus
malade, elle exigeait de sortir. Jacques savait
bien que ce n'était pas pour le plaisir de l'accompagner. Marthe, ne pouvant confier à personne les
lettres à mon adresse, les mettait elle-même à la
poste.

Je me félicitai encore plus de mon silence, car,
si j'avais pu lui écrire, en réponse au récit des
tortures qu'elle infligeait, je fusse intervenu en
faveur de la victime. A certains moments, je
m'épouvantais du mal dont j'étais l'auteur; à

d'autres, je me disais que Marthe ne punirait jamais assez Jacques du crime de me l'avoir prise vierge. Mais comme rien ne nous rend moins " sentimental " que la passion, j'étais, somme toute, ravi de ne pouvoir écrire et qu'ainsi Marthe continuât de désespérer Jacques.

Il repartit sans courage.

Tous mirent cette crise sur le compte de la solitude énervante dans laquelle vivait Marthe. Car ses parents et son mari étaient les seuls à ignorer notre liaison, les propriétaires n'osant rien apprendre à Jacques par respect pour l'uniforme. Mme Grangier se félicitait déjà de retrouver sa fille, et qu'elle vécût comme avant son mariage. Aussi les Grangier n'en revinrent-ils pas lorsque Marthe, le lendemain du départ de Jacques, annonça qu'elle retournait à J...

Je l'y revis le jour même. D'abord, je la grondai mollement d'avoir été si méchante. Mais quand je lus la première lettre de Jacques, je fus pris de panique. Il disait combien, s'il n'avait plus l'amour de Marthe, il lui serait facile de se faire tuer.

Je ne démêlai pas le " chantage ". Je me vis responsable d'une mort, oubliant que je l'avais souhaitée. Je devins encore plus incompréhensible et plus injuste. De quelque côté que

nous nous tournions s'ouvrait une blessure.
Marthe avait beau me répéter qu'il était moins
inhumain de ne plus flatter l'espoir de Jacques,
c'est moi qui l'obligeais de répondre avec douceur. C'est moi qui dictais à sa femme les seules
lettres tendres qu'il en ait jamais reçues. Elle les
écrivait en se cabrant, en pleurant, mais je la
menaçais de ne jamais revenir, si elle n'obéissait
pas. Que Jacques me dût ses seules joies atténuait
mes remords.

Je vis combien son désir de suicide était superficiel, à l'espoir qui débordait de ses lettres, en
réponse aux *nôtres*.

J'admirais mon attitude, vis-à-vis du pauvre
Jacques, alors que j'agissais par égoïsme et par
crainte d'avoir un crime sur la conscience.

Une période heureuse succéda au drame. Hélas! un sentiment de provisoire subsistait. Il tenait à mon âge et à ma nature veule. Je n'avais de volonté pour rien, ni pour fuir Marthe qui peut-être m'oublierait, et retournerait au devoir, ni pour pousser Jacques dans la mort. Notre union était donc à la merci de la paix, du retour définitif des troupes. Qu'il chasse sa femme, elle me resterait. Qu'il la garde, je me sentais incapable de la lui reprendre de force. Notre bonheur était un château de sable. Mais ici la marée n'étant pas à heure fixe, j'espérais qu'elle monterait le plus tard possible.

Maintenant, c'est Jacques, charmé, qui défen-

dait Marthe contre sa mère, mécontente du retour
à J... Ce retour, l'aigreur aidant, avait du reste
éveillé chez Mme Grangier quelques soupçons.
Autre chose lui paraissait suspect : Marthe refusait
d'avoir des domestiques, au grand scandale de sa
famille et, encore plus, de sa belle-famille. Mais
que pouvaient parents et beaux-parents contre
Jacques devenu notre allié, grâce aux raisons que
je lui donnais par l'intermédiaire de Marthe.

C'est alors que J... ouvrit le feu sur elle.

Les propriétaires affectaient de ne plus lui
parler. Personne ne la saluait. Seuls les fournisseurs étaient professionnellement tenus à moins
de morgue. Aussi, Marthe, sentant quelquefois
le besoin d'échanger des paroles, s'attardait dans
les boutiques. Lorsque j'étais chez elle, si elle
s'absentait pour acheter du lait et des gâteaux,
et qu'au bout de cinq minutes elle ne fût pas de
retour, l'imaginant sous un tramway, je courais
à toutes jambes jusque chez la crémière ou le
pâtissier. Je l'y trouvais causant avec eux. Fou
de m'être laissé prendre à mes angoisses nerveuses,
aussitôt dehors, je m'emportais. Je l'accusais
d'avoir des goûts vulgaires, de trouver un charme
à la conversation des fournisseurs. Ceux-ci, dont
j'interrompais les propos, me détestaient.

L'étiquette des cours est assez simple, comme tout ce qui est noble. Mais rien n'égale en énigmes le protocole des petites gens. Leur folie des préséances se fonde, d'abord, sur l'âge. Rien ne les choquerait plus que la révérence d'une vieille duchesse à quelque jeune prince. On devine la haine du pâtissier, de la crémière, à voir un gamin interrompre leurs rapports familiers avec Marthe. Ils lui eussent à elle trouvé mille excuses, à cause de ces conversations.

Les propriétaires avaient un fils de vingt-deux ans. Il vint en permission. Marthe l'invita à prendre le thé.

Le soir, nous entendîmes des éclats de voix : on lui défendait de revoir la locataire. Habitué à ce que mon père ne mît son veto à aucun de mes actes, rien ne m'étonna plus que l'obéissance du dadais.

Le lendemain, comme nous traversions le jardin, il bêchait. Sans doute était-ce un pensum. Un peu gêné, malgré tout, il détourna la tête pour ne pas avoir à dire bonjour.

Ces escarmouches peinaient Marthe; assez intelligente et assez amoureuse pour se rendre compte que le bonheur ne réside pas dans la considération des voisins, elle était comme ces poètes qui savent que la vraie poésie est chose " maudite ", mais qui, malgré leur certitude, souffrent parfois de ne pas obtenir les suffrages qu'ils méprisent.

Les conseillers municipaux jouent toujours un rôle dans mes aventures. M. Marin qui habitait en dessous de chez Marthe, vieillard à barbe grise et de stature noble, était un ancien conseiller municipal de J... Retiré dès avant la guerre, il aimait servir la patrie, lorsque l'occasion se présentait à portée de sa main. Se contentant de désapprouver la politique communale, il vivait avec sa femme, ne recevant et ne rendant de visites qu'aux approches de la nouvelle année.

Depuis quelques jours, un remue-ménage se faisait au-dessous, d'autant plus distinct que nous entendions, de notre chambre, les moindres bruits du rez-de-chaussée. Des frotteurs vinrent. La

bonne, aidée par celle du propriétaire, astiquait
l'argenterie dans le jardin, ôtait le vert-de-gris des
suspensions de cuivre. Nous sûmes par la crémière
qu'un raout-surprise se préparait chez les Marin,
sous un mystérieux prétexte. Mme Marin était
allée inviter le maire et le supplier de lui accorder
huit litres de lait. Autoriserait-il aussi la marchande à faire de la crème?

Les permis accordés, le jour venu (un vendredi), une quinzaine de notables parurent à
l'heure dite avec leurs femmes, chacune fonda-
trice d'une société d'allaitement maternel ou de
secours aux blessés, dont elle était présidente,
et, les autres, sociétaires. La maîtresse de cette
maison, pour faire " genre ", recevait devant la
porte. Elle avait profité de l'attraction mystérieuse pour transformer son raout en pique-
nique. Toutes ces dames prêchaient l'économie
et inventaient des recettes. Aussi, leurs douceurs
étaient-elles des gâteaux sans farine, des crèmes
au lichen, etc. Chaque nouvelle arrivante disait
à Mme Marin : " Oh! ça ne paie pas de mine,
mais je crois que ce sera bon tout de même. "

M. Marin, lui, profitait de ce raout pour préparer sa " rentrée politique ".

Or, la surprise, c'était Marthe et moi. La

charitable indiscrétion d'un de mes camarades de chemin de fer, le fils d'un des notables, me l'apprit. Jugez de ma stupeur quand je sus que la distraction des Marin était de se tenir sous notre chambre vers la fin de l'après-midi et de surprendre nos caresses.

Sans doute y avaient-ils pris goût et voulaient-ils publier leurs plaisirs. Bien entendu, les Marin, gens respectables, mettaient ce dévergondage sur le compte de la morale. Ils voulaient faire partager leur révolte par tout ce que la commune comptait de gens comme il faut.

Les invités étaient en place. Mme Marin me savait chez Marthe et avait dressé la table sous sa chambre. Elle piaffait. Elle eût voulu la canne du régisseur pour annoncer le spectacle. Grâce à l'indiscrétion du jeune homme, qui trahissait pour mystifier sa famille et par solidarité d'âge, nous gardâmes le silence. Je n'avais pas osé dire à Marthe le motif du pique-nique. Je pensais au visage décomposé de Mme Marin, les yeux sur les aiguilles de l'horloge, et à l'impatience de ses hôtes. Enfin, vers sept heures, les couples se retirèrent bredouilles, traitant tout bas les Marin d'imposteurs et le pauvre M. Marin, âgé de soixante-dix ans, d'arriviste. Ce futur conseiller vous

promettait monts et merveilles, et n'attendait
même pas d'être élu pour manquer à ses pro-
messes. En ce qui concernait Mme Marin, ces
dames virent dans le raout un moyen avantageux
pour elle de se fournir du dessert. Le maire, en
personnage, avait paru juste quelques minutes;
ces quelques minutes et les huit litres de lait
firent chuchoter qu'il était du dernier bien avec
la fille des Marin, institutrice à l'école. Le mariage
de Mlle Marin avait jadis fait scandale, paraissant
peu digne d'une institutrice, car elle avait épousé
un sergent de ville.

Je poussai la malice jusqu'à leur faire entendre
ce qu'ils eussent souhaité faire entendre aux
autres. Marthe s'étonna de cette tardive ardeur.
Ne pouvant plus y tenir, et au risque de la cha-
griner, je lui dis quel était le but du raout. Nous
en rîmes ensemble aux larmes.

Mme Marin, peut-être indulgente si j'eusse
servi ses plans, ne nous pardonna pas son désastre.
Il lui donna de la haine. Mais elle ne pouvait
l'assouvir, ne disposant plus de moyens, et n'osant
user de lettres anonymes.

Nous étions au mois de mai. Je rencontrais moins Marthe chez elle et n'y couchais que si je pouvais inventer chez moi un mensonge pour y rester le matin. Je l'inventais une ou deux fois la semaine. La perpétuelle réussite de mon mensonge me surprenait. En réalité, mon père ne me croyait pas. Avec une folle indulgence il fermait les yeux, à la seule condition que ni mes frères ni les domestiques ne l'apprissent. Il me suffisait donc de dire que je partais à cinq heures du matin, comme le jour de ma promenade à la forêt de Sénart. Mais ma mère ne préparait plus de panier.

Mon père supportait tout, puis, sans transition, se cabrant, me reprochait ma paresse. Ces scènes se déchaînaient et se calmaient vite, comme les vagues.

Rien n'absorbe plus que l'amour. On n'est pas paresseux, parce que, étant amoureux, on paresse. L'amour sent confusément que son seul dérivatif réel est le travail. Aussi le considère-t-il comme un rival. Et il n'en supporte aucun. Mais l'amour est paresse bienfaisante, comme la molle pluie qui féconde.

Si la jeunesse est niaise, c'est faute d'avoir été paresseuse. Ce qui infirme nos systèmes d'éducation, c'est qu'ils s'adressent aux médiocres, à cause du nombre. Pour un esprit en marche, la paresse n'existe pas. Je n'ai jamais plus appris que dans ces longues journées qui, pour un témoin, eussent semblé vides, et où j'observais mon cœur novice comme un parvenu observe ses gestes à table.

Quand je ne couchais pas chez Marthe, c'est-à-dire presque tous les jours, nous nous promenions après dîner, le long de la Marne, jusqu'à onze heures. Je détachais le canot de mon père. Marthe ramait; moi, étendu, j'appuyais ma tête sur ses genoux. Je la gênais. Soudain, un coup de rame me cognant, me rappelait que cette promenade ne durerait pas toute la vie.

L'amour veut faire partager sa béatitude.
Ainsi, une maîtresse de nature assez froide
devient caressante, nous embrasse dans le cou,
invente mille agaceries, si nous sommes en
train d'écrire une lettre. Je n'avais jamais tel
désir d'embrasser Marthe que lorsqu'un travail la distrayait de moi ; jamais tant envie de
toucher à ses cheveux, de la décoiffer, que quand
elle se coiffait. Dans le canot, je me précipitais
sur elle, la jonchant de baisers, pour qu'elle lâchât
ses rames, et que le canot dérivât, prisonnier des
herbes, des nénuphars blancs et jaunes. Elle y recon-
naissait les signes d'une passion incapable de se
contenir, alors que me poussait surtout la manie de
déranger, si forte. Puis, nous amarrions le canot
derrière les hautes touffes. La crainte d'être visibles
ou de chavirer, me rendait nos ébats mille fois
plus voluptueux.

Aussi ne me plaignais-je point de l'hostilité
des propriétaires qui rendait ma présence chez
Marthe très difficile.

Ma soi-disant idée fixe de la posséder comme
ne l'avait pu posséder Jacques, d'embrasser un
coin de sa peau après lui avoir fait jurer que
jamais d'autres lèvres que les miennes ne s'y
étaient mises, n'était que du libertinage. Me

l'avouais-je? Tout amour comporte sa jeunesse,
son âge mûr, sa vieillesse. Étais-je à ce dernier
stade où déjà l'amour ne me satisfaisait plus sans
certaines recherches. Car si ma volupté s'appuyait sur l'habitude, elle s'avivait de ces mille
riens, de ces légères corrections infligées à l'habitude. Ainsi, n'est-ce pas d'abord dans l'augmen-
tation des doses, qui vite deviendraient mor-
telles, qu'un intoxiqué trouve l'extase, mais dans
le rythme qu'il invente, soit en changeant ses
heures, soit en usant de supercheries pour dérouter
l'organisme.

J'aimais tant cette rive gauche de la Marne, que
je fréquentais l'autre, si différente, afin de pouvoir
contempler celle que j'aimais. La rive droite est
moins molle, consacrée aux maraîchers, aux cultivateurs, alors que la mienne l'est aux oisifs. Nous
attachions le canot à un arbre, allions nous étendre
au milieu du blé. Le champ, sous la brise du soir,
frissonnait. Notre égoïsme, dans sa cachette,
oubliait le préjudice, sacrifiant le blé au confort
de notre amour, comme nous y sacrifiions Jacques.

Un parfum de provisoire excitait mes sens. D'avoir goûté à des joies plus brutales, plus ressemblantes à celles qu'on éprouve sans amour avec la première venue, affadissait les autres.

J'appréciais déjà le sommeil chaste, libre, le bien-être de se sentir seul dans un lit aux draps frais. J'alléguais des raisons de prudence pour ne plus passer de nuits chez Marthe. Elle admirait ma force de caractère. Je redoutais aussi l'agacement que donne une certaine voix angélique des femmes qui s'éveillent et qui, comédiennes de race, semblent chaque matin sortir de l'au-delà.

Je me reprochais mes critiques, mes feintes,

passant des journées à me demander si j'aimais
Marthe plus ou moins que naguère. Mon amour
sophistiquait tout. De même que je traduisais
faussement les phrases de Marthe, croyant leur
donner un sens plus profond, j'interprétais ses
silences. Ai-je toujours eu tort; un certain choc,
qui ne se peut décrire, nous prévenant que nous
avons touché juste. Mes jouissances, mes angoisses
étaient plus fortes. Couché auprès d'elle, l'envie
qui me prenait, d'une seconde à l'autre, d'être
couché seul, chez mes parents, me faisait augurer
l'insupportable d'une vie commune. D'autre part,
je ne pouvais imaginer de vivre sans Marthe.
Je commençais à connaître le châtiment de l'adultère.

J'en voulais à Marthe d'avoir, avant notre
amour, consenti à meubler la maison de Jacques
à ma guise. Ces meubles me devinrent odieux,
que je n'avais pas choisis pour mon plaisir, mais
afin de déplaire à Jacques. Je m'en fatiguais, sans
excuses. Je regrettais de n'avoir pas laissé Marthe
les choisir seule. Sans doute m'eussent-ils d'abord
déplu, mais quel charme, ensuite, de m'y habituer,
par amour pour elle. J'étais jaloux que le béné-
fice de cette habitude revînt à Jacques.

Marthe me regardait avec de grands yeux naïfs

lorsque je lui disais amèrement : " J'espère que, quand nous vivrons ensemble, nous ne garderons pas ces meubles. " Elle respectait tout ce que je disais. Croyant que j'avais oublié que ces meubles venaient de moi, elle n'osait me le rappeler. Elle se lamentait intérieurement de ma mauvaise mémoire.

Dans les premiers jours de juin, Marthe reçut une lettre de Jacques où, enfin, il ne l'entretenait pas que de son amour. Il était malade. On l'évacuait à l'hôpital de Bourges. Je ne me réjouissais pas de le savoir malade, mais qu'il eût quelque chose à dire me soulageait. Passant par J..., le lendemain ou le surlendemain, il suppliait Marthe qu'elle guettât son train sur le quai de la gare. Marthe me montra cette lettre. Elle attendait un ordre.

L'amour lui donnait une nature d'esclave. Aussi, en face d'une telle servitude préambulaire, avais-je du mal à ordonner ou défendre. Selon moi, mon silence voulait dire que je consentais.

Pouvais-je l'empêcher d'apercevoir son mari
pendant quelques secondes? Elle garda le même
silence. Donc, par une espèce de convention
tacite, je n'allai pas chez elle le lendemain.

Le surlendemain matin, un commissionnaire
m'apporta chez mes parents un mot qu'il ne
devait remettre qu'à moi. Il était de Marthe. Elle
m'attendait au bord de l'eau. Elle me suppliait
de venir, si j'avais encore de l'amour pour elle.

Je courus jusqu'au banc sur lequel Marthe
m'attendait. Son bonjour, si peu en rapport
avec le style de son billet, me glaça. Je crus son
cœur changé.

Simplement, Marthe avait pris mon silence de
l'avant-veille pour un silence hostile. Elle n'avait
pas imaginé la moindre convention tacite. A des
heures d'angoisse succédait le grief de me voir
en vie, puisque seule la mort eût dû m'empêcher
de venir hier. Ma stupeur ne pouvait se feindre.
Je lui expliquai ma réserve, mon respect pour ses
devoirs envers Jacques malade. Elle me crut à
demi. J'étais irrité. Je faillis lui dire : " Pour une
fois que je ne mens pas... " Nous pleurâmes.

Mais ces confuses parties d'échecs sont inter-
minables, épuisantes, si l'un des deux n'y met
bon ordre. En somme, l'attitude de Marthe envers

Jacques n'était pas flatteuse. Je l'embrassai, la berçai. "Le silence, dis-je, ne nous réussit pas." Nous nous promîmes de ne rien nous celer de nos pensées secrètes, moi la plaignant un peu de croire que c'est chose possible.

A J..., Jacques avait cherché des yeux Marthe, puis le train passant devant leur maison, il avait vu les volets ouverts. Sa lettre la suppliait de le rassurer. Il lui demandait de venir à Bourges. "Il faut que tu partes", dis-je, de façon que cette simple phrase ne sentît pas le reproche.

— J'irai, dit-elle, si tu m'accompagnes.

C'était pousser trop loin l'inconscience. Mais ce qu'exprimaient d'amour ses paroles, ses actes les plus choquants, me conduisait vite de la colère à la gratitude. Je me cabrai. Je me calmai. Je lui parlai doucement, ému par sa naïveté. Je la traitais comme un enfant qui demande la lune.

Je lui représentai combien il était immoral qu'elle se fît accompagner par moi. Que ma réponse ne fût pas orageuse, comme celle d'un amant outragé, sa portée s'en accrut. Pour la première fois, elle m'entendait prononcer le mot de "morale". Ce mot vint à merveille, car, si peu méchante, elle devait bien connaître des crises de doute, comme moi, sur la moralité

de notre amour. Sans ce mot, elle eût pu me
croire amoral, étant fort bourgeoise, malgré sa
révolte contre les excellents préjugés bourgeois.
Mais, au contraire, puisque, pour la première fois,
je la mettais en garde, c'était une preuve que
jusqu'alors je cons dérais que nous n'avions rien
fait de mal.

Marthe regrettait cette espèce de voyage de
noces scabreux. Elle comprenait, maintenant,
ce qu'il y avait d'impossible.

— Du moins, dit-elle, permets-moi de ne
pas y aller.

Ce mot de " morale " prononcé à la légère
m'instituait son directeur de conscience. J'en
usai comme ces despotes qui se grisent d'un
pouvoir nouveau. La puissance ne se montre
que si l'on en use avec injustice. Je répondis
donc que je ne voyais aucun crime à ce qu'elle
n'allât pas à Bourges. Je lui trouvai des motifs
qui la persuadèrent : fatigue du voyage, proche
convalescence de Jacques. Ces motifs l'innocen-
taient, sinon aux yeux de Jacques, du moins vis-
à-vis de sa belle-famille.

A force d'orienter Marthe dans un sens qui
me convenait, je la façonnais peu à peu à mon
image. C'est de quoi je m'accusais, et de détruire

sciemment notre bonheur. Qu'elle me ressemblât, et que ce fût mon œuvre, me ravissait et me fâchait. J'y voyais une raison de notre entente. J'y discernais aussi la cause de désastres futurs. En effet, je lui avais peu à peu communiqué mon incertitude, qui, le jour des décisions, l'empêcherait d'en prendre aucune. Je la sentais comme moi les mains molles, espérant que la mer épargnerait le château de sable, tandis que les autres enfants s'empressent de bâtir plus loin.

Il arrive que cette ressemblance morale déborde sur le physique. Regard, démarche : plusieurs fois, des étrangers nous prirent pour frère et sœur. C'est qu'il existe en nous des germes de ressemblance que développe l'amour. Un geste, une inflexion de voix, tôt ou tard, trahissent les amants les plus prudents.

Il faut admettre que si le cœur a ses raisons que la raison ne connaît pas, c'est que celle-ci est moins raisonnable que notre cœur. Sans doute, sommes-nous tous des Narcisse, aimant et détestant leur image, mais à qui toute autre est indifférente. C'est cet instinct de ressemblance qui nous mène dans la vie, nous criant " halte! " devant un paysage, une femme, un poème. Nous pouvons en admirer d'autres, sans ressentir ce choc.

L'instinct de ressemblance est la seule ligne de
conduite qui ne soit pas artificielle. Mais dans la
société, seuls les esprits grossiers sembleront ne
point pécher contre la morale, poursuivant toujours le même type. Ainsi certains hommes
s'acharnent sur les " blondes ", ignorant que
souvent les ressemblances les plus profondes
sont les plus secrètes.

Marthe, depuis quelques jours, semblait distraite, sans tristesse. Distraite, avec tristesse, j'aurais pu m'expliquer sa préoccupation par l'approche du quinze juillet, date à laquelle il lui faudrait rejoindre la famille de Jacques, et Jacques en convalescence, sur une plage de la Manche. A son tour, Marthe se taisait, sursautant au bruit de ma voix. Elle supportait l'insupportable : visites de famille, avanies, sous-entendus aigres de sa mère, bonhommes de son père, qui lui supposait un amant, sans y croire.

Pourquoi supportait-elle tout? Etait-ce la suite de mes leçons lui reprochant d'attacher trop d'importance aux choses, de s'affecter des moindres? Elle paraissait heureuse, mais d'un bonheur singulier, dont elle ressentait de la gêne, et qui m'était désagréable, puisque je ne la partageais pas. Moi qui trouvais enfantin que Marthe découvrît dans mon mutisme une preuve d'indifférence, à mon tour, je l'accusais de ne plus m'aimer, parce qu'elle se taisait.

Marthe n'osait pas m'apprendre qu'elle était enceinte.

J'eusse voulu paraître heureux de cette nouvelle. Mais d'abord elle me stupéfia. N'ayant jamais pensé que je pouvais devenir responsable de quoi que ce fût, je l'étais du pire. J'enrageais aussi de n'être pas assez homme pour trouver la chose simple. Marthe n'avait parlé que contrainte. Elle tremblait que cet instant qui devait nous rapprocher nous séparât. Je mimai si bien l'allégresse que ses craintes se dissipèrent. Elle gardait les traces profondes de la morale bourgeoise, et cet enfant signifiait pour elle que Dieu récompenserait notre amour, qu'il ne punissait aucun crime.

Alors que Marthe trouvait maintenant dans sa

grossesse une raison pour que je ne la quittasse jamais, cette grossesse me consterna. A notre âge, il me semblait impossible, injuste, que nous eussions un enfant qui entraverait notre jeunesse. Pour la première fois, je me rendais à des craintes d'ordre matériel : nous serions abandonnés de nos familles.

Aimant déjà cet enfant, c'est par amour que je le repoussais. Je ne me voulais pas responsable de son existence dramatique. J'eusse été moi-même incapable de la vivre.

L'instinct est notre guide; un guide qui nous conduit à notre perte. Hier, Marthe redoutait que sa grossesse nous éloignât l'un de l'autre. Aujourd'hui, qu'elle ne m'avait jamais tant aimé, elle croyait que mon amour grandissait comme le sien. Moi, hier, repoussant cet enfant, je commençais aujourd'hui à l'aimer et j'ôtais de l'amour à Marthe, de même qu'au début de notre liaison mon cœur lui donnait ce qu'il retirait aux autres.

Maintenant, posant ma bouche sur le ventre de Marthe, ce n'était plus elle que j'embrassais, c'était mon enfant. Hélas! Marthe n'était plus ma maîtresse, mais une mère.

Je n'agissais plus jamais comme si nous étions seuls. Il y avait toujours un témoin près de nous,

à qui nous devions rendre compte de nos actes.
Je pardonnais mal ce brusque changement dont
je rendais Marthe seule responsable, et pourtant,
je sentais que je lui aurais moins encore pardonné
si elle m'avait menti. A certaines secondes, je
croyais que Marthe mentait pour faire durer un peu
plus notre amour, mais que son fils n'était pas le
mien.

Comme un malade qui recherche le calme, je
ne savais de quel côté me tourner. Je sentais ne
plus aimer la même Marthe et que mon fils ne
serait heureux qu'à la condition de se croire celui
de Jacques. Certes, ce subterfuge me consternait.
Il faudrait renoncer à Marthe. D'autre part,
j'avais beau me trouver un homme, le fait actuel
était trop grave pour que je me rengorgeasse jusqu'à croire possible une aussi folle (je pensais : une
aussi sage) existence.

Car, enfin, Jacques reviendrait. Après cette période extraordinaire, il retrouverait, comme tant d'autres soldats trompés à cause des circonstances exceptionnelles, une épouse triste, docile, dont rien ne décèlerait l'inconduite. Mais cet enfant ne pouvait s'expliquer pour son mari que si elle supportait son contact aux vacances. Ma lâcheté l'en supplia.

De toutes nos scènes, celle-ci ne fut ni la moins étrange ni la moins pénible. Je m'étonnai du reste de rencontrer si peu de lutte. J'en eus l'explication plus tard. Marthe n'osait m'avouer une victoire de Jacques à sa dernière permission et comptait, feignant de m'obéir, se

refuser au contraire à lui, à Granville, sous prétexte des malaises de son état. Tout cet échafau-
dage se compliquait de dates dont la fausse coïnci-
dence, lors de l'accouchement, ne laisserait de
doutes à personne. "Bah! me disais-je, nous
avons du temps devant nous. Les parents de Marthe
redouteront le scandale. Ils l'emmèneront à la
campagne et retarderont la nouvelle. "

La date du départ de Marthe approchait.
Je ne pouvais que bénéficier de cette absence.
Ce serait un essai. J'espérais me guérir de Marthe.
Si je n'y parvenais pas, si mon amour était trop
vert pour se détacher de lui-même, je savais bien
que je retrouverais Marthe aussi fidèle.

Elle partit le douze juillet, à sept heures du
matin. Je restai à J... la nuit précédente. En y
allant, je me promettais de ne pas fermer l'œil
de la nuit. Je ferais une telle provision de caresses,
que je n'aurais plus besoin de Marthe pour le
reste de mes jours.

Un quart d'heure après m'être couché, je m'endormis.

En général, la présence de Marthe troublait
mon sommeil. Pour la première fois, à côté d'elle,
je dormis aussi bien que si j'eusse été seul.

A mon réveil, elle était déjà debout. Elle n'avait pas osé me réveiller. Il ne me restait plus qu'une demi-heure avant le train. J'enrageais d'avoir laissé perdre par le sommeil les dernières heures que nous avions à passer ensemble. Elle pleurait aussi de partir. Pourtant, j'eusse voulu employer les dernières minutes à autre chose qu'à boire nos larmes.

Marthe me laissait sa clef, me demandant de venir, de penser à nous, et de lui écrire sur sa table.

Je m'étais juré de ne pas l'accompagner jusqu'à Paris. Mais, je ne pouvais vaincre mon désir de ses lèvres et, comme je souhaitais lâchement l'aimer moins, je mettais ce désir sur le compte du départ, de cette " dernière fois " si fausse, puisque je sentais bien qu'il n'y aurait de dernière fois sans qu'elle le voulût.

A la gare Montparnasse, où elle devait rejoindre ses beaux-parents, je l'embrassai sans retenue. Je cherchais encore mon excuse dans le fait que, sa belle-famille surgissant, il se produirait un drame décisif.

Revenu à F..., accoutumé à n'y vivre qu'en attendant de me rendre chez Marthe, je tâchai

de me distraire. Je bêchai le jardin, j'essayai de
lire, je jouai à cache-cache avec mes sœurs, ce qui
ne m'était pas arrivé depuis cinq ans. Le soir, pour
ne pas éveiller de soupçons, il fallut que j'allasse
me promener. D'habitude, jusqu'à la Marne, la
route m'était légère. Ce soir-là, je me traînai, les
cailloux me tordant le pied et précipitant mes
battements de cœur. Étendu dans la barque, je
souhaitai la mort, pour la première fois. Mais
aussi incapable de mourir que de vivre, je comptais
sur un assassin charitable. Je regrettais qu'on ne
pût mourir d'ennui, ni de peine. Peu à peu, ma
tête se vidait, avec un bruit de baignoire. Une
dernière succion, plus longue, la tête est vide. Je
m'endormis.

Le froid d'une aube de juillet me réveilla.
Je rentrai, transi, chez nous. La maison était
grande ouverte. Dans l'antichambre mon père
me reçut avec dureté. Ma mère avait été un peu
malade : on avait envoyé la femme de chambre me
réveiller pour que j'allasse chercher le docteur.
Mon absence était donc officielle.

Je supportai la scène en admirant la délicatesse
instinctive du bon juge qui, entre mille actions
d'aspect blâmable, choisit la seule innocente pour
permettre au criminel de se justifier. Je ne me

justifiai d'ailleurs pas, c'était trop difficile. Je
laissai croire à mon père que je rentrais de J..., et,
lorsqu'il m'interdit de sortir après le dîner, je le
remerciai à part moi d'être encore mon complice
et de me fournir une excuse pour ne plus traîner
seul dehors.

J'attendais le facteur. C'était ma vie. J'étais
incapable du moindre effort pour oublier.

Marthe m'avait donné un coupe-papier, exigeant que je ne m'en servisse que pour ouvrir ses
lettres. Pouvais-je m'en servir? J'avais trop de
hâte. Je déchirais les enveloppes. Chaque fois,
honteux, je me promettais de garder la lettre un
quart d'heure, intacte. J'espérais, par cette méthode,
pouvoir à la longue reprendre de l'empire sur
moi-même, garder les lettres fermées dans ma
poche. Je remettais toujours ce régime au lendemain.

Un jour, impatienté par ma faiblesse, et dans
un mouvement de rage, je déchirai une lettre sans
la lire. Dès que les morceaux de papier eurent
jonché le jardin, je me précipitai, à quatre pattes.
La lettre contenait une photographie de Marthe.
Moi si superstitieux et qui interprétais les faits
les plus minces dans un sens tragique, j'avais

déchiré ce visage. J'y vis un avertissement du Ciel.
Mes transes ne se calmèrent qu'après avoir passé
quatre heures à recoller la lettre et le portrait.
Jamais je n'avais fourni un tel effort. La crainte
qu'il arrivât malheur à Marthe me soutint pendant
ce travail absurde qui me brouillait les yeux et les
nerfs.

Un spécialiste avait recommandé les bains de
mer à Marthe. Tout en m'accusant de méchanceté,
je les lui défendis, ne voulant pas que d'autres que
moi pussent voir son corps.

Du reste, puisque de toute manière Marthe
devait passer un mois à Granville, je me félicitais de la présence de Jacques. Je me rappelais
sa photographie en blanc que Marthe m'avait
montrée le jour des meubles. Rien ne me faisait
plus peur que les jeunes hommes, sur la plage.
D'avance, je les jugeais plus beaux, plus forts,
plus élégants que moi.

Son mari la protégerait contre eux.

A certaines minutes de tendresse, comme
un ivrogne qui embrasse tout le monde, je rêvas-
sais d'écrire à Jacques, de lui avouer que j'étais
l'amant de Marthe, et, m'autorisant de ce titre,
de la lui recommander. Parfois, j'enviais Marthe,
adorée par Jacques et par moi. Ne devions-nous

pas chercher ensemble à faire son bonheur?
Dans ces crises, je me sentais amant complaisant.
J'eusse voulu connaître Jacques, lui expliquer les
choses, et pourquoi nous ne devions pas être
jaloux l'un de l'autre. Puis, tout à coup, la haine
redressait cette pente douce.

Dans chaque lettre, Marthe me demandait d'aller chez elle. Son insistance me rappelait celle d'une de mes tantes fort dévote, me reprochant de ne jamais aller sur la tombe de ma grand-mère. Je n'ai pas l'instinct du pèlerinage. Ces devoirs ennuyeux localisent la mort, l'amour.

Ne peut-on penser à une morte, ou à sa maîtresse absente, ailleurs qu'en un cimetière, ou dans certaine chambre? Je n'essayais pas de l'expliquer à Marthe et lui racontais que je me rendais chez elle; de même, à ma tante, que j'étais allé au cimetière. Pourtant, je devais aller chez Marthe; mais dans de singulières circonstances.

Je rencontrai un jour sur le réseau cette jeune

fille suédoise à laquelle ses correspondants défendaient de voir Marthe. Mon isolement me fit
prendre goût aux enfantillages de cette petite
personne. Je lui proposai de venir goûter à J...,
en cachette, le lendemain. Je lui cachai l'absence
de Marthe, pour qu'elle ne s'effarouchât pas, et
ajoutai même combien elle serait heureuse de la
revoir. J'affirme que je ne savais au juste ce que
je comptais faire. J'agissais comme ces enfants
qui, liant connaissance, cherchent à s'étonner
entre eux. Je ne résistais pas à voir surprise
ou colère sur la figure d'ange de Svéa, quand
je serais tenu de lui apprendre l'absence de
Marthe.

Oui, c'était sans doute ce plaisir puéril d'étonner
parce que je ne trouvais rien à lui dire de surpre-
nant, tandis qu'elle bénéficiait d'une sorte d'exo-
tisme et me surprenait à chaque phrase. Rien de
plus délicieux que cette soudaine intimité entre
personnes qui se comprennent mal. Elle portait
au cou une petite croix d'or, émaillée de bleu, qui
pendait sur une robe assez laide que je réinven-
tais à mon goût. Une véritable poupée vivante.
Je sentais croître mon désir de renouveler ce
tête-à-tête ailleurs qu'en un wagon.

Ce qui gâtait un peu son air de couventine,

c'était l'allure d'une élève de l'école Pigier,
où d'ailleurs elle étudiait une heure par jour,
sans grand profit, le français et la machine à
écrire. Elle me montra ses devoirs dactylographiés.
Chaque lettre était une faute, corrigée en marge
par le professeur. Elle sortit d'un sac à main
affreux, évidemment son œuvre, un étui à cigarettes orné d'une couronne comtale. Elle m'offrit
une cigarette. Elle ne fumait pas, mais portait
toujours cet étui, parce que ses amies fumaient.
Elle me parlait de coutumes suédoises que je
feignais de connaître : nuit de la Saint-Jean,
confitures de myrtilles. Ensuite, elle tira de son
sac une photographie de sa sœur jumelle, envoyée
de Suède la veille : à cheval, toute nue, avec sur
la tête un chapeau haut de forme de leur grand-
père. Je devins écarlate. Sa sœur lui ressemblait
tellement que je la soupçonnais de rire de moi,
et de montrer sa propre image. Je me mordais les
lèvres, pour calmer leur envie d'embrasser cette
espiègle naïve. Je dus avoir une expression bien
bestiale, car je la vis peureuse, cherchant des yeux
le signal d'alarme.

Le lendemain, elle arriva chez Marthe à quatre
heures. Je lui dis que Marthe était à Paris mais

rentrerait vite. J'ajoutai : " Elle m'a défendu de vous laisser partir avant son retour. " Je comptais ne lui avouer mon stratagème que trop tard.

Heureusement, elle était gourmande. Ma gourmandise à moi prenait une forme inédite. Je n'avais aucune faim pour la tarte, la glace à la framboise, mais souhaitais être tarte et glace dont elle approchât la bouche. Je faisais avec la mienne des grimaces involontaires.

Ce n'est pas par vice que je convoitais Svéa, mais par gourmandise. Ses joues m'eussent suffi, à défaut de ses lèvres.

Je parlais en prononçant chaque syllabe pour qu'elle comprît bien. Excité par cette amusante dînette, je m'énervais, moi toujours silencieux, de ne pouvoir parler vite. J'éprouvais un besoin de bavardage, de confidences enfantines. J'approchais mon oreille de sa bouche. Je buvais ses petites paroles.

Je l'avais contrainte à prendre une liqueur. Après, j'eus pitié d'elle comme d'un oiseau qu'on grise.

J'espérais que sa griserie servirait mes desseins, car peu m'importait qu'elle me donnât ses lèvres de bon cœur ou non. Je pensai à l'inconvenance de cette scène chez Marthe, mais, me répétai-je,

en somme, je ne retire rien à notre amour. Je
désirais Svéa comme un fruit, ce dont une maîtresse ne peut être jalouse.

Je tenais sa main dans mes mains qui m'appa-
rurent pataudes. J'aurais voulu la déshabiller,
la bercer. Elle s'étendit sur le divan. Je me levai,
me penchai à l'endroit où commençaient ses
cheveux, duvet encore. Je ne concluais pas de son
silence que mes baisers lui fissent plaisir; mais,
incapable de s'indigner, elle ne trouvait aucune
façon polie de me repousser en français. Je mor-
dillais ses joues, m'attendant à ce qu'un jus sucré
jaillisse, comme des pêches.

Enfin, j'embrassai sa bouche. Elle subissait
mes caresses, patiente victime, fermant cette
bouche et les yeux. Son seul geste de refus consis-
tait à remuer faiblement la tête de droite à gauche,
et de gauche à droite. Je ne me méprenais pas,
mais ma bouche y trouvait l'illusion d'une
réponse. Je restais auprès d'elle comme je n'avais
jamais été auprès de Marthe. Cette résistance qui
n'en était pas une flattait mon audace et ma paresse.
J'étais assez naïf pour croire qu'il en irait de même
ensuite et que je bénéficierais d'un viol facile.

Je n'avais jamais déshabillé de femmes; j'avais
plutôt été déshabillé par elles. Aussi je m'y pris

maladroitement, commençant par ôter ses souliers
et ses bas. Je baisais ses pieds et ses jambes. Mais
quand je voulus dégrafer son corsage, Svéa se
débattit comme un petit diable qui ne veut pas
aller se coucher et qu'on dévêt de force. Elle me
rouait de coups de pied. J'attrapais ses pieds au
vol, je les emprisonnais, les baisais. Enfin, la
satiété arriva, comme la gourmandise s'arrête
après trop de crème et de friandises. Il fallut
bien que je lui apprisse ma supercherie, et que
Marthe était en voyage. Je lui fis promettre, si
elle rencontrait Marthe, de ne jamais lui raconter
notre entrevue. Je ne lui avouai pas que j'étais
son amant, mais le lui laissai entendre. Le plaisir
du mystère lui fit répondre " à demain " quand,
rassasié d'elle, je lui demandai par politesse si
nous nous reverrions un jour.

Je ne retournai pas chez Marthe. Et peut-être
Svéa ne vint-elle pas sonner à la porte close. Je
sentais combien blâmable pour la morale courante
était ma conduite. Car sans doute sont-ce les
circonstances qui m'avaient fait paraître Svéa si
précieuse. Ailleurs que dans la chambre de Marthe,
l'eussé-je désirée?

Mais je n'avais pas de remords. Et ce n'est pas

en pensant à Marthe que je délaissai la petite
Suédoise, mais parce que j'avais tiré d'elle tout le
sucre.

Quelques jours après, je reçus une lettre de
Marthe. Elle en contenait une de son propriétaire, lui disant que sa maison n'était pas une maison de rendez-vous, quel usage je faisais de la clef
de son appartement, où j'avais emmené une
femme. " J'ai une preuve de ta traîtrise ", ajoutait
Marthe. Elle ne me reverrait jamais. Sans doute
souffrirait-elle, mais elle préférait souffrir que
d'être dupe.

Je savais ces menaces anodines, et qu'il suffirait
d'un mensonge, ou même au besoin de la vérité,
pour les anéantir. Mais il me vexait que, dans une
lettre de rupture, Marthe ne me parlât pas de
suicide. Je l'accusai de froideur. Je trouvai sa
lettre indigne d'une explication. Car moi, dans
une situation analogue, sans penser au suicide,
j'aurais cru, par convenance, en devoir menacer
Marthe. Trace indélébile de l'âge et du collège :
je croyais certains mensonges commandés par
le code passionnel.

Une besogne neuve, dans mon apprentissage
de l'amour, se présentait : m'innocenter vis-à-vis

de Marthe, et l'accuser d'avoir moins de confiance
en moi qu'en son propriétaire. Je lui expliquai
combien habile était cette manœuvre de la coterie
Marin. En effet, Svéa était venue la voir un jour
où j'écrivais chez elle, et si j'avais ouvert c'est
parce que, ayant aperçu la jeune fille par la fenêtre,
et sachant qu'on l'éloignait de Marthe, je ne voulais
pas lui laisser croire que Marthe lui tenait rigueur
de cette pénible séparation. Sans doute, venait-
elle en cachette et au prix de difficultés sans
nombre.

Ainsi pouvais-je annoncer à Marthe que le
cœur de Svéa lui demeurait intact. Et je terminais
en exprimant le réconfort d'avoir pu parler de
Marthe, chez elle, avec sa plus intime compagne.

Cette alerte me fit maudire l'amour qui nous
force à rendre compte de nos actes, alors que
j'eusse tant aimé n'en jamais rendre compte, à
moi pas plus qu'aux autres.

Il faut pourtant, me disais-je, que l'amour
offre de grands avantages puisque tous les hommes
remettent leur liberté entre ses mains. Je souhaitais d'être vite assez fort pour me passer d'amour
et, ainsi, n'avoir à sacrifier aucun de mes désirs.
J'ignorais que servitude pour servitude, il vaut

encore mieux être asservi par son cœur que
l'esclave de ses sens.

Comme l'abeille butine et enrichit la ruche —
de tous ses désirs qui le prennent dans la rue —,
un amoureux enrichit son amour. Il en fait
bénéficier sa maîtresse. Je n'avais pas encore
découvert cette discipline qui donne aux natures
infidèles, la fidélité. Qu'un homme convoite
une fille et reporte cette chaleur sur la femme qu'il
aime, son désir plus vif parce qu'insatisfait laissera
croire à cette femme qu'elle n'a jamais été mieux
aimée. On la trompe, mais la morale, selon les
gens, est sauve. A de tels calculs, commence
le libertinage. Qu'on ne condamne donc pas trop
vite certains hommes capables de tromper leur
maîtresse au plus fort de leur amour; qu'on ne les
accuse pas d'être frivoles. Ils répugnent à ce
subterfuge et ne songent même pas à confondre
leur bonheur et leurs plaisirs.

Marthe attendait que je me disculpasse. Elle me
supplia de lui pardonner ses reproches. Je le fis,
non sans façons. Elle écrivit au propriétaire, le
priant ironiquement d'admettre qu'en son absence
j'ouvrisse à une de ses amies.

Quand Marthe revint, aux derniers jours d'août, elle n'habita pas J..., mais la maison de ses parents, qui prolongeaient leur villégiature. Ce nouveau décor où Marthe avait toujours vécu me servit d'aphrodisiaque. La fatigue sensuelle, le désir secret du sommeil solitaire, disparurent. Je ne passai aucune nuit chez mes parents. Je flambais, je me hâtais, comme les gens qui doivent mourir jeunes et qui mettent les bouchées doubles. Je voulais profiter de Marthe avant que l'abîmât sa maternité.

Cette chambre de jeune fille, où elle avait refusé la présence de Jacques, était notre chambre. Au-dessus de son lit étroit, j'aimais que mes yeux

la rencontrassent en première communiante. Je
l'obligeais à regarder fixement une autre image
d'elle, bébé, pour que notre enfant lui ressemblât.
Je rôdais, ravi, dans cette maison qui l'avait vue
naître et s'épanouir. Dans une chambre de débar-
ras, je touchais son berceau, dont je voulais qu'il
servît encore, et je lui faisais sortir ses brassières,
ses petites culottes, reliques des Grangier.

Je ne regrettais pas l'appartement de J..., où
les meubles n'avaient pas le charme du plus laid
mobilier des familles. Ils ne pouvaient rien m'apprendre. Au contraire, ici, me parlaient de Marthe
tous ces meubles auxquels, petite, elle avait dû
se cogner la tête. Et puis, nous vivions seuls, sans
conseiller municipal, sans propriétaire. Nous ne
nous gênions pas plus que des sauvages, nous
promenant presque nus dans le jardin, véritable
île déserte. Nous nous couchions sur la pelouse,
nous goûtions sous une tonnelle d'aristoloche,
de chèvrefeuille, de vigne vierge. Bouche à bouche,
nous nous disputions les prunes que je ramassais,
toutes blessées, tièdes de soleil. Mon père n'avait
jamais pu obtenir que je m'occupasse de mon
jardin, comme mes frères, mais je soignais celui
de Marthe. Je ratissais, j'arrachais les mauvaises
herbes. Au soir d'une journée chaude, je res-

sentais le même orgueil d'homme, si enivrant,
à étancher la soif de la terre, des fleurs suppliantes,
qu'à satisfaire le désir d'une femme. J'avais toujours trouvé la bonté un peu niaise : je comprenais
toute sa force. Les fleurs s'épanouissant grâce à
mes soins, les poules dormant à l'ombre après que
je leur avais jeté des graines : que de bonté? —
Que d'égoïsme! Des fleurs mortes, des poules
maigres eussent mis de la tristesse dans notre
île d'amour. Eau et graines venant de moi
s'adressaient plus à moi qu'aux fleurs et qu'aux
poules.

Dans ce renouveau du cœur, j'oubliais ou je
méprisais mes récentes découvertes. Je prenais le
libertinage provoqué par le contact avec cette
maison de famille pour la fin du libertinage.
Aussi, cette dernière semaine d'août et ce mois de
septembre furent-ils ma seule époque de vrai
bonheur. Je ne trichais, ni ne me blessais, ni ne
blessais Marthe. Je ne voyais plus d'obstacles.
J'envisageais à seize ans un genre de vie qu'on
souhaite à l'âge mûr. Nous vivrions à la campagne; nous y resterions éternellement jeunes.

Étendu contre elle sur la pelouse, caressant
sa figure avec un brin d'herbe, j'expliquais lente-

ment, posément, à Marthe, quelle serait notre vie.
Marthe, depuis son retour, cherchait un appartement pour nous à Paris. Ses yeux se mouillèrent,
quand je lui déclarai que je désirais vivre à la
campagne : " Je n'aurais jamais osé te l'offrir,
me dit-elle. Je croyais que tu t'ennuierais, seul
avec moi, que tu avais besoin de la ville. — Comme
tu me connais mal ", répondais-je. J'aurais voulu
habiter près de Mandres, où nous étions allés
nous promener un jour, et où on cultive les
roses. Depuis, quand par hasard, ayant dîné
à Paris avec Marthe, nous reprenions le dernier
train, j'avais respiré ces roses. Dans la cour de la
gare, les manœuvres déchargent d'immenses
caisses qui embaument. J'avais, toute mon enfance,
entendu parler de ce mystérieux train des roses
qui passe à une heure où les enfants dorment.

Marthe disait : " Les roses n'ont qu'une saison.
Après, ne crains-tu pas de trouver Mandres
laide? N'est-il pas sage de choisir un lieu moins
beau, mais d'un charme plus égal? "

Je me reconnaissais bien là. L'envie de jouir
pendant deux mois des roses me faisait oublier
les dix autres mois, et le fait de choisir Mandres
m'apportait encore une preuve de la nature éphé-
mère de notre amour.

Souvent, ne dînant pas à F... sous prétexte de promenades ou d'invitations, je restais avec Marthe.

Un après-midi, je trouvai auprès d'elle un jeune homme en uniforme d'aviateur. C'était son cousin. Marthe, que je ne tutoyais pas, se leva et vint m'embrasser dans le cou. Son cousin sourit de ma gêne. " Devant Paul, rien à craindre, mon chéri, dit-elle. Je lui ai tout raconté. " J'étais gêné, mais enchanté que Marthe eût avoué à son cousin qu'elle m'aimait. Ce garçon, charmant et superficiel, et qui ne songeait qu'à ce que son uniforme ne fût pas réglementaire, parut ravi de cet amour. Il y voyait une bonne farce faite à Jacques qu'il méprisait pour n'être ni aviateur ni habitué des bars.

Paul évoquait toutes les parties d'enfance dont ce jardin avait été le théâtre. Je questionnais, avide de cette conversation qui me montrait Marthe sous un jour inattendu. En même temps, je ressentais de la tristesse. Car j'étais trop près de l'enfance pour en oublier les jeux inconnus des parents, soit que les grandes personnes ne gardent aucune mémoire de ces jeux, soit qu'elles les envisagent comme un mal inévitable. J'étais jaloux du passé de Marthe.

Comme nous racontions à Paul, en riant, la
haine du propriétaire, et le raout des Marin, il
nous proposa, mis en verve, sa garçonnière de
Paris.

Je remarquai que Marthe n'osa pas lui avouer
que nous avions projet de vivre ensemble. On
sentait qu'il encourageait notre amour, en tant
que divertissement, mais qu'il hurlerait avec les
loups le jour d'un scandale.

Marthe se levait de table et servait. Les domestiques avaient suivi Mme Grangier à la campagne,
car, toujours par prudence, Marthe prétendait
n'aimer vivre que comme Robinson. Ses parents,
croyant leur fille romanesque, et que les roma-
nesques sont pareils aux fous qu'il ne faut pas
contredire, la laissaient seule.

Nous restâmes longtemps à table. Paul montait
les meilleures bouteilles. Nous étions gais, d'une
gaieté que nous regretterions sans doute, car Paul
agissait en confident d'un adultère quelconque.
Il raillait Jacques. En me taisant, je risquai de lui
faire sentir son manque de tact; je préférai me
joindre au jeu plutôt qu'humilier ce cousin facile.

Lorsque nous regardâmes l'heure, le dernier
train pour Paris était passé. Marthe proposa un
lit. Paul accepta. Je regardai Marthe d'un tel œil,

qu'elle ajouta : " Bien entendu, mon chéri, tu restes. " J'eus l'illusion d'être chez moi, époux de Marthe, et de recevoir un cousin de ma femme, lorsque, sur le seuil de notre chambre, Paul nous dit bonsoir, embrassant sa cousine sur les joues le plus naturellement du monde.

A la fin de septembre, je sentis bien que quitter cette maison c'était quitter le bonheur. Encore quelques mois de grâce, et il nous faudrait choisir, vivre dans le mensonge ou dans la vérité, pas plus à l'aise ici que là. Comme il importait que Marthe ne fût pas abandonnée de ses parents, avant la naissance de notre enfant, j'osai enfin m'enquérir si elle avait prévenu Mme Grangier de sa grossesse. Elle me dit que oui, et qu'elle avait prévenu Jacques. J'eus donc une occasion de constater qu'elle me mentait parfois, car, au mois de mai, après le séjour de Jacques, elle m'avait juré qu'il ne l'avait pas approchée.

La nuit descendait de plus en plus tôt; et la fraîcheur des soirs empêchait nos promenades. Il nous était difficile de nous voir à J... Pour qu'un scandale n'éclatât pas, il nous fallait prendre des précautions de voleurs, guetter dans la rue l'absence des Marin et du propriétaire.

La tristesse de ce mois d'octobre, de ces soirées fraîches, mais pas assez froides pour permettre du feu, nous conseillait le lit dès cinq heures. Chez mes parents, se coucher le jour signifiait : être malade, ce lit de cinq heures me charmait. Je n'imaginais pas que d'autres y fussent. J'étais seul avec Marthe, couché, arrêté, au milieu d'un monde actif. Marthe nue, j'osais à peine la regar-

der. Suis-je donc monstrueux? Je ressentais des
remords du plus noble emploi de l'homme.
D'avoir abîmé la grâce de Marthe, de voir son
ventre saillir, je me considérais comme un van-
dale. Au début de notre amour, quand je la mordais, ne me disait-elle pas : " Marque-moi "?
Ne l'avais-je pas marquée de la pire façon?

Maintenant Marthe ne m'était pas seulement
la plus aimée, ce qui ne veut pas dire la mieux
aimée des maîtresses, mais elle me tenait lieu de
tout. Je ne pensais même pas à mes amis; je les
redoutais, au contraire, sachant qu'ils croient nous
rendre service en nous détournant de notre route.
Heureusement, ils jugent nos maîtresses insup-
portables et indignes de nous. C'est notre seule
sauvegarde. Lorsqu'il n'en va plus ainsi, elles
risquent de devenir les leurs.

Mon père commençait à s'effrayer. Mais ayant toujours pris ma défense contre sa sœur et ma mère, il ne voulait pas avoir l'air de se rétracter, et c'est sans rien leur en dire qu'il se ralliait à elles. Avec moi, il se déclarait prêt à tout pour me séparer de Marthe. Il préviendrait ses parents, son mari... Le lendemain, il me laissait libre.

Je devinais ses faiblesses. J'en profitais. J'osais répondre. Je l'accablais dans le même sens que ma mère et ma tante, lui reprochant de mettre trop tard en œuvre son autorité. N'avait-il pas voulu que je connusse Marthe? Il s'accablait à son tour. Une atmosphère tragique circulait dans la maison. Quel exemple pour mes deux frères! Mon père prévoyait déjà ne rien pouvoir leur répondre un jour, lorsqu'ils justifieraient leur indiscipline par la mienne.

Jusqu'alors, il croyait à une amourette, mais, de nouveau, ma mère surprit une correspondance. Elle lui porta triomphalement ces pièces de son procès. Marthe parlait de notre avenir et de notre enfant!

Ma mère me considérait trop encore comme un bébé, pour me devoir raisonnablement un petit-fils ou une petite-fille. Il lui apparaissait impossible d'être grand-mère à son âge. Au fond, c'était pour elle la meilleure preuve que cet enfant n'était pas le mien.

L'honnêteté peut rejoindre les sentiments les plus vifs. Ma mère, avec sa profonde honnêteté, ne pouvait admettre qu'une femme trompât son mari. Cet acte lui représentait un tel dévergondage qu'il ne pouvait s'agir d'amour. Que je fusse l'amant de Marthe signifiait pour ma mère qu'elle en avait d'autres. Mon père savait combien faux peut être un tel raisonnement, mais l'utilisait pour jeter un trouble dans mon âme, et diminuer Marthe. Il me laissa entendre que j'étais le seul à ne pas " savoir ". Je répliquai qu'on la calomniait de la sorte à cause de son amour pour moi.

Mon père, qui ne voulait pas que je bénéficiasse
de ces bruits, me certifia qu'ils précédaient notre
liaison, et même son mariage.

Après avoir conservé à notre maison une façade
digne, il perdait toute retenue, et, quand je n'étais
pas rentré depuis plusieurs jours, envoyait la
femme de chambre chez Marthe, avec un mot à
mon adresse, m'ordonnant de rentrer d'urgence;
sinon il déclarerait ma fuite à la préfecture de
police et poursuivrait Mme L. pour détourne-
ment de mineur.

Marthe sauvegardait les apparences, prenait
un air surpris, disait à la femme de chambre
qu'elle me remettrait l'enveloppe à ma première
visite. Je rentrais un peu plus tard, maudissant
mon âge. Il m'empêchait de m'appartenir. Mon
père n'ouvrait pas la bouche, ni ma mère. Je
fouillais le code sans trouver les articles de loi
concernant les mineurs. Avec une remarquable
inconscience, je ne croyais pas que ma conduite me
pût mener en maison de correction. Enfin, après
avoir épuisé vainement le code, j'en revins au
grand Larousse, où je relus dix fois l'article :
" mineur ", sans découvrir rien qui nous concer-
nât.

Le lendemain, mon père me laissait libre encore.
Pour ceux qui rechercheraient les mobiles
de son étrange conduite, je les résume en trois
lignes : il me laissait agir à ma guise. Puis, il en
avait honte. Il menaçait, plus furieux contre lui
que contre moi. Ensuite, la honte de s'être mis en
colère le poussait à lâcher les brides.

Mme Grangier, elle, avait été mise en éveil, à
son retour de la campagne, par les insidieuses
questions des voisins. Feignant de croire que
j'étais un frère de Jacques, ils lui apprenaient
notre vie commune. Comme, d'autre part, Marthe
ne pouvait se retenir de prononcer mon nom à
propos de rien, de rapporter quelque chose que
j'avais fait ou dit, sa mère ne resta pas longtemps
dans le doute sur la personnalité du frère de
Jacques.

Elle pardonnait encore, certaine que l'enfant,
qu'elle croyait de Jacques, mettrait un terme à
l'aventure. Elle ne raconta rien à M. Grangier,
par crainte d'un éclat. Mais elle mettait cette
discrétion sur le compte d'une grandeur d'âme
dont il importait d'avertir Marthe pour qu'elle lui
en sût gré. Afin de prouver à sa fille qu'elle savait
tout, elle la harcelait sans cesse, parlait par sous-

entendus, et si maladroitement que M. Grangier, seul avec sa femme, la priait de ménager leur pauvre petite, innocente, à qui ces continuelles suppositions finiraient par tourner la tête. A quoi Mme Grangier répondait quelquefois par un simple sourire, de façon à lui laisser entendre que leur fille avait avoué.

Cette attitude, et son attitude précédente, lors du premier séjour de Jacques, m'incitent à croire que Mme Grangier, eût-elle désapprouvé complètement sa fille, pour l'unique satisfaction de donner tort à son mari et à son gendre, lui aurait, devant eux, donné raison. Au fond, Mme Grangier admirait Marthe de tromper son mari, ce qu'elle-même n'avait jamais osé faire, soit par scrupules, soit par manque d'occasion. Sa fille la vengeait d'avoir été, croyait-elle, incomprise. Niaisement idéaliste, elle se bornait à lui en vouloir d'aimer un garçon aussi jeune que moi, et moins apte que n'importe qui à comprendre la " délicatesse féminine ".

Les Lacombe, que Marthe visitait de moins en moins, ne pouvaient, habitant Paris, rien soupçonner. Simplement, Marthe, leur apparaissant toujours plus bizarre, leur déplaisait de plus en plus. Ils étaient inquiets de l'avenir. Ils se deman-

daient ce que serait ce ménage dans quelques
années. Toutes les mères, par principe, ne souhai-
tent rien tant pour leurs fils que le mariage, mais
désapprouvent la femme qu'ils choisissent. La
mère de Jacques le plaignait donc d'avoir une telle
femme. Quant à Mlle Lacombe, la principale
raison de ses médisances venait de ce que Marthe
détenait, seule, le secret d'une idylle poussée
assez loin, l'été où elle avait connu Jacques au
bord de la mer. Cette sœur prédisait le plus
sombre avenir au ménage, disant que Marthe
tromperait Jacques, si par hasard ce n'était déjà
chose faite.

L'acharnement de son épouse et de sa fille
forçait parfois à sortir de table M. Lacombe,
brave homme, qui aimait Marthe. Alors, mère et
fille échangeaient un regard significatif. Celui de
Mme Lacombe exprimait : " Tu vois, ma petite,
comment ces sortes de femmes savent ensorceler
nos hommes. " Celui de Mlle Lacombe : " C'est
parce que je ne suis pas une Marthe que je ne trouve
pas à me marier. " En réalité, la malheureuse,
sous prétexte qu'" autre temps autres mœurs "
et que le mariage ne se concluait plus à l'ancienne
mode, faisait fuir les maris en ne se montrant pas
assez rebelle. Ses espoirs de mariage duraient ce

que dure une saison balnéaire. Les jeunes gens promettaient de venir, sitôt à Paris, demander la main de Mlle Lacombe. Ils ne donnaient plus signe de vie. Le principal grief de Mlle Lacombe, qui allait coiffer Sainte-Catherine, était peut-être que Marthe eût trouvé si facilement un mari. Elle se consolait en se disant que seul un nigaud comme son frère avait pu se laisser prendre.

Pourtant, quels que fussent les soupçons des familles, personne ne pensait que l'enfant de Marthe pût avoir un autre père que Jacques. J'en étais assez vexé. Il fut même des jours où j'accusais Marthe d'être lâche, pour n'avoir pas encore dit la vérité. Enclin à voir partout une faiblesse qui n'était qu'à moi, je pensais, puisque Mme Grangier glissait sur le commencement du drame, qu'elle fermerait les yeux jusqu'au bout.

L'orage approchait. Mon père menaçait d'envoyer certaines lettres à Mme Grangier. Je souhaitais qu'il exécutât ses menaces. Puis, je réfléchissais. Mme Grangier cacherait les lettres à

son mari. Du reste, l'un et l'autre avaient intérêt
à ce qu'un orage n'éclatât point. Et j'étouffais.
J'appelais cet orage. Ces lettres, c'est à Jacques,
directement, qu'il fallait que mon père les commu-
niquât.

Le jour de colère où il me dit que c'était
chose faite, je lui eusse sauté au cou. Enfin!
Enfin, il me rendait le service d'apprendre à
Jacques ce qui importait qu'il sût. Je plaignais
mon père de croire mon amour si faible. Et puis,
ces lettres mettraient un terme à celles où Jacques
s'attendrissait sur notre enfant. Ma fièvre m'empêchait de comprendre ce que cet acte avait de fou,
d'impossible. Je commençai seulement à voir
juste lorsque mon père, plus calme, le lendemain,
me rassura, croyait-il, m'avouant son mensonge.
Il l'estimait inhumain. Certes. Mais où se trouve
l'humain et l'inhumain?

J'épuisais ma force nerveuse en lâcheté, en
audace, éreinté par les mille contradictions de
mon âge aux prises avec une aventure d'homme.

L'amour anesthésiait en moi tout ce qui n'était pas Marthe. Je ne pensais pas que mon père pût souffrir. Je jugeais de tout si faussement et si petitement que je finissais par croire la guerre déclarée entre lui et moi. Aussi, n'était-ce plus seulement par amour pour Marthe que je piétinais mes devoirs filiaux, mais parfois, oserai-je l'avouer, par esprit de représailles!

Je n'accordais plus beaucoup d'attention aux lettres que mon père faisait porter chez Marthe. C'est elle qui me suppliait de rentrer plus souvent à la maison, de me montrer raisonnable. Alors, je m'écriais : " Vas-tu, toi aussi, prendre parti contre moi? " Je serrais les dents, tapais du pied. Que je me misse dans un état pareil, à la pensée que j'allais être éloigné d'elle pour quelques heures, Marthe y voyait le signe de la passion. Cette certitude d'être aimée lui donnait une fermeté que je ne lui avais jamais vue. Sûre que je penserais à elle, elle insistait pour que je rentrasse.

Je m'aperçus vite d'où venait son courage. Je commençai à changer de tactique. Je feignais de me rendre à ses raisons. Alors, tout à coup, elle avait une autre figure. A me voir si sage (ou si léger), la peur la prenait que je ne l'aimasse moins. A son tour, elle me suppliait de rester, tant elle avait besoin d'être rassurée.

Pourtant, une fois, rien ne réussit. Depuis déjà trois jours, je n'avais mis les pieds chez mes parents, et j'affirmai à Marthe mon intention de passer encore une nuit avec elle. Elle essaya tout pour me détourner de cette décision : caresses, menaces. Elle sut même feindre à son tour. Elle finit par déclarer que, si je ne rentrais pas chez mes parents, elle coucherait chez les siens.

Je répondis que mon père ne lui tiendrait aucun compte de ce beau geste. — Eh bien! elle n'irait pas chez sa mère. Elle irait au bord de la Marne. Elle prendrait froid, puis mourrait; elle serait enfin délivrée de moi : " Aie au moins pitié de notre enfant, disait Marthe. Ne compro-

mets pas son existence à plaisir. " Elle m'accusait
de m'amuser de son amour, d'en vouloir connaître les limites. En face d'une telle insistance, je
lui répétais les propos de mon père : elle me trompait avec n'importe qui; je ne serais pas dupe.
" Une seule raison, lui dis-je, t'empêche de céder.
Tu reçois ce soir un de tes amants. " Que répondre
à d'aussi folles injustices? Elle se détourna. Je lui
reprochai de ne point bondir sous l'outrage.
Enfin, je travaillais si bien qu'elle consentit à
passer la nuit avec moi. A condition que ce ne fût
pas chez elle. Elle ne voulait pour rien au monde
que ses propriétaires pussent dire le lendemain au
messager de mes parents qu'elle était là.

Où dormir?

Nous étions des enfants debout sur une chaise,
fiers de dépasser d'une tête les grandes personnes.
Les circonstances nous hissaient, mais nous restions incapables. Et si, du fait même de notre
inexpérience, certaines choses compliquées nous
paraissaient toutes simples, des choses très simples,
par contre, devenaient des obstacles. Nous n'avions
jamais osé nous servir de la garçonnière de Paul.
Je ne pensais pas qu'il fût possible d'expliquer à la

concierge, en lui glissant une pièce, que nous viendrions quelquefois.

Il nous fallait donc coucher à l'hôtel. Je n'y étais jamais allé. Je tremblais à la perspective d'en franchir le seuil.

L'enfance cherche des prétextes. Toujours appelée à se justifier devant les parents, il est fatal qu'elle mente.

Vis-à-vis même d'un garçon d'hôtel borgne, je pensais devoir me justifier. C'est pourquoi, prétextant qu'il nous faudrait du linge et quelques objets de toilette, je forçais Marthe à faire une valise. Nous demanderions deux chambres. On nous croirait frère et sœur. Jamais je n'oserais demander une seule chambre, mon âge (l'âge où l'on se fait expulser des casinos) m'exposant à des mortifications.

Le voyage, à onze heures du soir, fut interminable. Il y avait deux personnes dans notre wagon : une femme reconduisait son mari, capitaine, à la gare de l'Est. Le wagon n'était ni chauffé ni éclairé. Marthe appuyait sa tête contre la vitre humide. Elle subissait le caprice d'un jeune garçon cruel. J'étais assez honteux, et je souffrais, pensant combien Jacques, toujours si tendre avec elle, méritait mieux que moi d'être aimé.

Je ne pus m'empêcher de me justifier, à voix
basse. Elle secoua la tête : " J'aime mieux, murmura-t-elle, être malheureuse avec toi qu'heureuse avec lui. " Voilà de ces mots d'amour qui
ne veulent rien dire, et que l'on a honte de rapporter, mais qui, prononcés par la bouche aimée,
vous enivrent. Je crus même comprendre la phrase
de Marthe. Pourtant que signifiait-elle au juste?
Peut-on être heureux avec quelqu'un qu'on
n'aime pas?

Et je me demandais, je me demande encore
si l'amour vous donne le droit d'arracher une
femme à une destinée, peut-être médiocre, mais
pleine de quiétude. " J'aime mieux être malheureuse avec toi... "; ces mots contenaient-ils un
reproche inconscient? Sans doute, Marthe, parce
qu'elle m'aimait, connut-elle avec moi des heures
dont, avec Jacques, elle n'avait pas idée, mais ces
moments heureux me donnaient-ils le droit
d'être cruel?

Nous descendîmes à la Bastille. Le froid, que
je supporte parce que je l'imagine la chose la plus
porpre du monde, était, dans ce hall de la gare,
plus sale que la chaleur dans un port de mer, et
sans la gaieté qui compense. Marthe se plaignait de
crampes. Elle s'accrochait à mon bras. Couple

lamentable, oubliant sa beauté, sa jeunesse, honteux de soi comme un couple de mendiants!

Je croyais la grossesse de Marthe ridicule, et je marchais les yeux baissés. J'étais bien loin de l'orgueil paternel.

Nous errions sous la pluie glaciale, entre la Bastille et la gare de Lyon. A chaque hôtel, pour ne pas entrer, j'inventais une mauvaise excuse. Je disais à Marthe que je cherchais un hôtel convenable, un hôtel de voyageurs, rien que de voyageurs.

Place de la gare de Lyon, il devint difficile de me dérober. Marthe m'enjoignit d'interrompre ce supplice.

Tandis qu'elle attendait dehors, j'entrai dans un vestibule, espérant je ne sais trop quoi. Le garçon me demanda si je désirais une chambre. Il était facile de répondre oui. Ce fut trop facile, et, cherchant une excuse comme un rat d'hôtel pris sur le fait, je lui demandais Mme Lacombe. Je la lui demandais, rougissant, et craignant qu'il me répondît : " Vous moquez-vous, jeune homme? Elle est dans la rue. " Il consulta des registres. Je devais me tromper d'adresse. Je sortis, expliquant à Marthe qu'il n'y avait plus de place et que nous n'en trouverions pas dans le quartier.

Je respirai. Je me hâtai comme un voleur qui
s'échappe.

Tout à l'heure, mon idée fixe de fuir ces hôtels
où je menais Marthe de force m'empêchait de
penser à elle. Maintenant, je la regardais, la pauvre
petite. Je retins mes larmes et quand elle me
demanda où nous chercherions un lit, je la suppliai de ne pas en vouloir à un malade, et de
retourner sagement elle à J..., moi chez mes
parents. Malade! sagement! elle fit un sourire
machinal en entendant ces mots déplacés.

Ma honte dramatisa le retour. Quand, après
les cruautés de ce genre, Marthe avait le malheur
de me dire : " Tout de même, comme tu as été
méchant ", je m'emportais, la trouvais sans
générosité. Si, au contraire, elle se taisait, avait
l'air d'oublier, la peur me prenait qu'elle agît ainsi,
parce qu'elle me considérait comme un malade,
un dément. Alors, je n'avais de cesse que je ne lui
eusse fait dire qu'elle n'oubliait point, et que, si
elle me pardonnait, il ne fallait pas cependant que
je profitasse de sa clémence; qu'un jour, lasse de
mes mauvais traitements, sa fatigue l'emporterait
sur notre amour, et qu'elle me laisserait seul.
Quand je la forçais à me parler avec cette énergie,

et bien que je ne crusse pas à ses menaces, j'éprouvais une douleur délicieuse, comparable, en plus fort, à l'émoi que me donnent les montagnes russes. Alors, je me précipitais sur Marthe, l'embrassais plus passionnément que jamais.

— Répète-moi que tu me quitteras, lui disais-je, haletant, et la serrant dans mes bras, jusqu'à la casser. Soumise, comme ne peut même pas l'être une esclave, mais seul un médium, elle répétait, pour me plaire, des phrases auxquelles elle ne comprenait rien.

Cette nuit des hôtels fut décisive, ce dont je me rendis mal compte après tant d'autres extravagances. Mais si je croyais que toute une vie peut boiter de la sorte, Marthe, elle, dans le coin du wagon de retour, épuisée, atterrée, claquant des dents, *comprit tout*. Peut-être même vit-elle qu'au bout de cette course d'une année, dans une voiture, follement conduite, il ne pouvait y avoir d'autre issue que la mort.

Le lendemain, je trouvais Marthe au lit, comme d'habitude. Je voulus l'y rejoindre; elle me repoussa, tendrement. " Je ne me sens pas bien, disait-elle, va-t'en, ne reste pas près de moi. Tu prendrais mon rhume. " Elle toussait, avait la fièvre. Elle me dit, en souriant, pour n'avoir pas l'air de formuler un reproche, que c'était la veille qu'elle avait dû prendre froid. Malgré son affolement, elle m'empêcha d'aller chercher le docteur. " Ce n'est rien, disait-elle. Je n'ai besoin que de rester au chaud. " En réalité, elle ne voulait pas, en m'envoyant, moi, chez le docteur, se compromettre aux yeux de ce vieil ami de sa famille. J'avais un tel besoin d'être rassuré que le refus de Marthe m'ôta mes inquiétudes. Elles ressuscitèrent, et plus fortes que tout à l'heure, quand, lorsque je partis pour dîner chez mes parents, Marthe me demanda si je pouvais faire un détour, et déposer une lettre chez le docteur.

Le lendemain, en arrivant à la maison de Marthe, je croisai celui-ci dans l'escalier. Je n'osai pas l'interroger, et le regardai anxieusement. Son air calme me fit du bien : ce n'était qu'une attitude professionnelle.

J'entrai chez Marthe. Où était-elle? La chambre était vide. Marthe pleurait, la tête cachée sous les couvertures. Le médecin la condamnait à garder la chambre, jusqu'à la délivrance. De plus, son état exigeait des soins; il fallait qu'elle demeurât chez ses parents. On nous séparait.

Le malheur ne s'admet point. Seul, le bonheur semble dû. En admettant cette séparation sans révolte, je ne montrais pas de courage. Simplement, je ne comprenais point. J'écoutais, stupide, l'arrêt du médecin, comme un condamné sa sentence. S'il ne pâlit point : " Quel courage! " dit-on. Pas du tout : c'est plutôt manque d'imagination. Lorsqu'on le réveille pour l'exécution, alors, il *entend* la sentence. De même, je ne compris que nous n'allions plus nous voir, que lorsqu'on vint annoncer à Marthe la voiture envoyée par le docteur. Il avait promis de n'avertir personne, Marthe exigeant d'arriver chez sa mère à l'improviste.

Je fis arrêter à quelque distance de la maison des Grangier. La troisième fois que le cocher se retourna, nous descendîmes. Cet homme croyait surprendre notre troisième baiser, il surprenait le même. Je quittais Marthe sans prendre les moindres dispositions pour correspondre, presque sans lui dire au revoir, comme une personne qu'on doit rejoindre une heure après. Déjà, des voisines curieuses se montraient aux fenêtres.

Ma mère remarqua que j'avais les yeux rouges. Mes sœurs rirent parce que je laissais deux fois de suite retomber ma cuillère à soupe. Le plancher chavirait. Je n'avais pas le pied marin pour la souffrance. Du reste, je ne crois pouvoir comparer mieux qu'au mal de mer ces vertiges du cœur et de l'âme. La vie sans Marthe, c'était une longue traversée. Arriverais-je? Comme, aux premiers symptômes du mal de mer, on se moque d'atteindre le port et on souhaite mourir sur place, je me préoccupais peu d'avenir. Au bout de quelques jours, le mal, moins tenace, me laissa le temps de penser à la terre ferme.

Les parents de Marthe n'avaient plus à deviner grand-chose. Ils ne se contentaient pas d'escamoter mes lettres. Ils les brûlaient devant elle, dans la cheminée de sa chambre. Les siennes étaient écrites au crayon, à peine lisibles. Son frère les mettait à la poste.

Je n'avais plus à essuyer de scènes de famille. Je reprenais les bonnes conversations avec mon père, le soir, devant le feu. En un an, j'étais devenu un étranger pour mes sœurs. Elles se réapprivoisaient, se réhabituaient à moi. Je prenais la plus petite sur mes genoux, et, profitant de la pénombre, la serrais avec une telle violence, qu'elle se débattait, mi-riante, mi-pleurante. Je pensais à mon enfant, mais j'étais triste. Il me semblait impossible d'avoir pour lui une tendresse plus forte. Étais-je mûr pour qu'un bébé me fût autre chose que frère ou sœur?

Mon père me conseillait des distractions. Ces conseils-là sont engendrés par le calme. Qu'avais-je à faire, sauf ce que je ne ferais plus? Au bruit de la sonnette, au passage d'une voiture, je tressaillais. Je guettais dans ma prison les moindres signes de délivrance.

A force de guetter des bruits qui pouvaient

annoncer quelque chose, mes oreilles, un jour,
entendirent des cloches. C'étaient celles de l'armistice.

Pour moi, l'armistice signifiait le retour de
Jacques. Déjà, je le voyais au chevet de Marthe,
sans qu'il me fût possible d'agir. J'étais perdu.

Mon père revint à Paris. Il voulait que j'y
retournasse avec lui : " On ne manque pas une
fête pareille. " Je n'osais refuser. Je craignais
de paraître un monstre. Puis, somme toute, dans
ma frénésie de malheur, il ne me déplaisait pas
d'aller voir la joie des autres.

Avouerais-je qu'elle ne m'inspirât pas grande
envie. Je me sentais seul capable d'éprouver les
sentiments qu'on prête à la foule. Je cherchais le
patriotisme. Mon injustice, peut-être, ne me
montrait que l'allégresse d'un congé inattendu :
les cafés ouverts plus tard, le droit pour les militaires d'embrasser les midinettes. Ce spectacle,
dont j'avais pensé qu'il m'affligerait, qu'il me
rendrait jaloux, ou même qu'il me distrairait par
la contagion d'un sentiment sublime, m'ennuya
comme une Sainte-Catherine.

Depuis quelques jours, aucune lettre ne me parvenait. Un des rares après-midi où il tomba de la neige, mes frères me remirent un message du petit Grangier. C'était une lettre glaciale de Mme Grangier. Elle me priait de venir au plus vite. Que pouvait-elle me vouloir? La chance d'être en contact, même indirect, avec Marthe, étouffa mes inquiétudes. J'imaginais Mme Grangier m'interdisant de revoir sa fille, de correspondre avec elle, et moi, l'écoutant, tête basse, comme un mauvais élève. Incapable d'éclater, de me mettre en colère, aucun geste ne manifesterait ma haine. Je saluerais avec politesse, et la porte se refermerait pour toujours. Alors, je trouverais

les réponses, les arguments de mauvaise foi, les
mots cinglants qui eussent pu laisser à Mme Grangier, de l'amant de sa fille, une image moins
piteuse que celle d'un collégien pris en faute. Je
prévoyais la scène, seconde par seconde.

Lorsque je pénétrai dans le petit salon, il me
sembla revivre ma première visite. Cette visite
signifiait alors que je ne reverrais peut-être plus
Marthe.

Mme Grangier entra. Je souffris pour elle
de sa petite taille, car elle s'efforçait d'être hau-
taine. Elle s'excusa de m'avoir dérangé pour rien.
Elle prétendit qu'elle m'avait envoyé ce message
pour obtenir un renseignement trop compliqué
à demander par écrit, mais qu'entre-temps elle
avait eu ce renseignement. Cet absurde mystère
me tourmenta plus que n'importe quelle cata-
strophe.

Près de la Marne, je rencontrai le petit Grangier,
appuyé contre une grille. Il avait reçu une boule
de neige en pleine figure. Il pleurnichait. Je le
cajolai, je l'interrogeai sur Marthe. Sa sœur
m'appelait, me dit-il. Leur mère ne voulait rien
entendre, mais leur père avait dit : " Marthe est
au plus mal, j'exige qu'on obéisse. "

Je compris en une seconde la conduite si bourgeoise, si étrange, de Mme Grangier. Elle m'avait
appelé, par respect pour son époux, et la volonté
d'une mourante. Mais l'alerte passée, Marthe
saine et sauve, on reprenait la consigne. J'eusse
dû me réjouir. Je regrettais que la crise n'eût
pas duré le temps de me laisser voir la malade.

Deux jours après, Marthe m'écrivit. Elle
ne faisait aucune allusion à ma visite. Sans doute
la lui avait-on escamotée. Marthe parlait de notre
avenir, sur un ton spécial, serein, céleste, qui me
troublait un peu. Serait-il vrai que l'amour est la
forme la plus violente de l'égoïsme, car, cherchant
une raison à mon trouble, je me dis que j'étais
jaloux de notre enfant, dont Marthe aujourd'hui
m'entretenait plus que de moi-même.

Nous l'attendions pour mars. Un vendredi
de janvier, mes frères, tout essoufflés, nous
annoncèrent que le petit Grangier avait un neveu.
Je ne compris pas leur air de triomphe, ni pourquoi ils avaient tant couru. Ils ne se doutaient
certes pas de ce que la nouvelle pouvait avoir
d'extraordinaire à mes yeux. Mais un oncle était
pour mes frères une personne d'âge. Que le petit
Grangier fût oncle tenait donc du prodige, et ils

étaient accourus pour nous faire partager leur
émerveillement.

C'est l'objet que nous avons constamment
sous les yeux que nous reconnaissons avec le plus
de difficulté, si on le change un peu de place.
Dans le neveu du petit Grangier, je ne reconnus
pas tout de suite l'enfant de Marthe — mon
enfant.


L'affolement que dans un lieu public produit
un court-circuit, j'en fus le théâtre. Tout à coup,
il faisait noir en moi. Dans cette nuit, mes sentiments se bousculaient; je me cherchais, je cherchais à tâtons des dates, des précisions. Je comptais sur mes doigts comme je l'avais vu faire quelquefois à Marthe, sans alors la soupçonner de
trahison. Cet exercice ne servait d'ailleurs à rien.
Je ne savais plus compter. Qu'était-ce que cet
enfant que nous attendions pour mars, et qui
naissait en janvier? Toutes les explications que je
cherchais à cette anormalité, c'est ma jalousie qui
les fournissait. Tout de suite, ma certitude fut
faite. Cet enfant était celui de Jacques. N'était-il
pas venu en permission neuf mois auparavant?
Ainsi, depuis ce temps, Marthe me mentait.
D'ailleurs, ne m'avait-elle pas déjà menti au

sujet de cette permission! Ne m'avait-elle pas
d'abord juré s'être pendant ces quinze jours
maudits refusée à Jacques, pour m'avouer,
longtemps après, qu'il l'avait plusieurs fois
possédée!

Je n'avais jamais pensé bien profondément
que cet enfant pût être celui de Jacques. Et si,
au début de la grossesse de Marthe, j'avais pu
souhaiter lâchement qu'il en fût ainsi, il me
fallait bien avouer, aujourd'hui, que je croyais
être en face de l'irréparable, que, bercé pendant
des mois par la certitude de ma paternité, j'aimais
cet enfant, cet enfant qui n'était pas le mien.
Pourquoi fallait-il que je ne me sentisse le cœur
d'un père, qu'au moment où j'apprenais que je
ne l'étais pas!

On le voit, je me trouvais dans un désordre
incroyable, et comme jeté à l'eau, en pleine nuit,
sans savoir nager. Je ne comprenais plus rien.
Une chose surtout que je ne comprenais pas,
c'était l'audace de Marthe, d'avoir donné mon
nom à ce fils légitime. A certains moments, j'y
voyais un défi jeté au sort qui n'avait pas voulu
que cet enfant fût le mien; à d'autres moments,
je n'y voulais plus voir qu'un manque de tact,

une de ces fautes de goût qui m'avaient plusieurs
fois choqué chez Marthe, et qui n'étaient que son
excès d'amour.

J'avais commencé une lettre d'injures. Je
croyais la lui devoir, par dignité! Mais les mots
ne venaient pas, car mon esprit était ailleurs, dans
des régions plus nobles.

Je déchirai la lettre. J'en écrivis une autre, où
je laissai parler mon cœur. Je demandais pardon
à Marthe. Pardon de quoi? Sans doute que ce
fils fût celui de Jacques. Je la suppliais de m'aimer
quand même.

L'homme très jeune est un animal rebelle à la
douleur. Déjà, j'arrangeais autrement ma chance.
J'acceptais presque cet enfant de l'autre. Mais,
avant même que j'eusse fini ma lettre, j'en reçus
une de Marthe, débordante de joie. — Ce fils
était le nôtre, né deux mois avant terme. Il fallait
le mettre en couveuse. " J'ai failli mourir ",
disait-elle. Cette phrase m'amusa comme un enfantillage.

Car je n'avais place que pour la joie. J'eusse
voulu faire part de cette naissance au monde
entier, dire à mes frères qu'eux aussi étaient
oncles. Avec joie, je me méprisais : comment
avoir pu douter de Marthe? Ces remords, mêlés

à mon bonheur, me la faisaient aimer plus fort
que jamais, mon fils aussi. Dans mon incohérence,
je bénissais la méprise. Somme toute, j'étais
content d'avoir fait connaissance, pour quelques
instants, avec la douleur. Du moins, je le croyais.
Mais rien ne ressemble moins aux choses elles-
mêmes que ce qui en est tout près. Un homme qui
a failli mourir croit connaître la mort. Le jour où
elle se présente enfin à lui, il ne la reconnaît pas :
" Ce n'est pas elle ", dit-il, en mourant.

Dans sa lettre, Marthe me disait encore :
" Il te ressemble. " J'avais vu des nouveau-nés,
mes frères et mes sœurs, et je savais que seul
l'amour d'une femme peut leur découvrir la
ressemblance qu'elle souhaite. " Il a mes yeux ",
ajoutait-elle. Et seul aussi son désir de nous voir
réunis en un seul être pouvait lui faire recon-
naître ses yeux.

Chez les Grangier, aucun doute ne subsistait
plus. Ils maudissaient Marthe, mais s'en faisaient
les complices, afin que le scandale ne " rejaillît "
pas sur la famille. Le médecin, autre complice de
l'ordre, cachant que cette naissance était préma-
turée, se chargerait d'expliquer au mari, par
quelque fable, la nécessité d'une couveuse.

Les jours suivants, je trouvai naturel le silence de Marthe. Jacques devait être auprès d'elle. Aucune permission ne m'avait si peu atteint que celle-ci, accordée au malheureux pour la naissance de *son* fils. Dans un dernier sursaut de puérilité, je souriais même à la pensée que ces jours de congé, il me les devait.

Notre maison respirait le calme.

Les vrais pressentiments se forment à des profondeurs que notre esprit ne visite pas. Aussi, parfois, nous font-ils accomplir des actes que nous interprétons tout de travers.

Je me croyais plus tendre à cause de mon bonheur et je me félicitais de savoir Marthe dans une maison que mes souvenirs heureux transformaient en fétiche.

Un homme désordonné qui va mourir et ne s'en doute pas met soudain de l'ordre autour de lui. Sa vie change. Il classe des papiers. Il se lève tôt, il se couche de bonne heure. Il renonce à ses vices. Son entourage se félicite. Aussi sa mort

brutale semble-t-elle d'autant plus injuste. *Il allait
vivre heureux.*

De même, le calme nouveau de mon existence
était ma toilette du condamné. Je me croyais
meilleur fils parce que j'en avais un. Or, ma tendresse me rapprochait de mon père, de ma mère
parce que quelque chose savait en moi que j'aurais,
sous peu, besoin de la leur.

Un jour, à midi, mes frères revinrent de l'école
en nous criant que Marthe était morte.

La foudre qui tombe sur un homme est si
prompte qu'il ne souffre pas. Mais c'est pour
celui qui l'accompagne un triste spectacle. Tandis
que je ne ressentais rien, le visage de mon père
se décomposait. Il poussa mes frères. " Sortez,
bégaya-t-il. Vous êtes fous, vous êtes fous. " Moi,
j'avais la sensation de durcir, de refroidir, de me
pétrifier. Ensuite, comme une seconde déroule
aux yeux d'un mourant tous les souvenirs d'une
existence, la certitude me dévoila mon amour
avec tout ce qu'il avait de monstrueux. Parce
que mon père pleurait, je sanglotais. Alors, ma
mère me prit en mains. Les yeux secs, elle me soi-
gna froidement, tendrement, comme s'il se fût
agi d'une scarlatine.

Ma syncope expliqua le silence de la maison, les premiers jours, à mes frères. Les autres jours, ils ne comprirent plus. On ne leur avait jamais interdit les jeux bruyants. Ils se taisaient. Mais, à midi, leurs pas sur les dalles du vestibule me faisaient perdre connaissance comme s'ils eussent dû chaque fois m'annoncer la mort de Marthe.

Marthe! Ma jalousie la suivant jusque dans la tombe, je souhaitais qu'il n'y eût rien, après la mort. Ainsi, est-il insupportable que la personne que nous aimons se trouve en nombreuse compagnie dans une fête où nous ne sommes pas. Mon cœur était à l'âge où l'on ne pense pas encore à l'avenir. Oui, c'est bien le néant que je désirais pour Marthe, plutôt qu'un monde nouveau, où la rejoindre un jour.

La seule fois que j'aperçus Jacques, ce fut quelques mois après. Sachant que mon père possédait des aquarelles de Marthe, il désirait les connaître. Nous sommes toujours avides de surprendre ce qui touche aux êtres que nous aimons. Je voulus voir l'homme auquel Marthe avait accordé sa main.

Retenant mon souffle et marchant sur la pointe des pieds, je me dirigeais vers la porte entrouverte. J'arrivais juste pour entendre :

— Ma femme est morte en l'appelant. Pauvre petit! N'est-ce pas ma seule raison de vivre.

En voyant ce veuf si digne et dominant son

désespoir, je compris que l'ordre, à la longue, se met de lui-même autour des choses. Ne venais-je pas d'apprendre que Marthe était morte en m'appelant, et que mon fils aurait une existence raisonnable?

BRODARD ET TAUPIN — IMPRIMEUR - RELIEUR
Paris-La Flèche-Coulommiers. — Imprimé en France.
6055-5-04 - Dépôt légal n° 7076, 2e trimestre 1968.
LE LIVRE DE POCHE - 6, avenue Pierre Ier de Serbie - Paris.
30 - 11 - 0119 - 15

# Le Livre de Poche classique